French A2

élan 2

Teacher's Book

Danièle Bourdais
Marian Jones
Gill Maynard
Martine Pillette
Lorraine Poulter

OXFORD
UNIVERSITY PRESS

OXFORD
UNIVERSITY PRESS

Great Clarendon Street, Oxford OX2 6DP

Oxford University Press is a department of the University of Oxford.
It furthers the University's objective of excellence in research, scholarship, and education by publishing worldwide in

Oxford   New York

Auckland   Cape Town   Dar es Salaam   Hong Kong   Karachi
Kuala Lumpur   Madrid   Melbourne   Mexico City   Nairobi
New Delhi   Shanghai   Taipei   Toronto

With offices in

Argentina   Austria   Brazil   Chile   Czech Republic   France
Greece   Guatemala   Hungary   Italy   Japan   South Korea
Poland   Portugal   Singapore   Switzerland   Thailand   Turkey
Ukraine   Vietnam

Oxford is a registered trade mark of Oxford University Press in
the UK and in certain other countries

British Library Cataloguing in Publication Data

Data available

ISBN 978 019 915345 9

10 9 8 7 6 5 4 3 2

Typeset by PDQ

Printed in Great Britain by Bell & Bain, Glasgow

Acknowledgements

The authors and publisher would like to thank Lorraine Poulter
(editor), Marie-Thérèse Bougard and Véronique Moore
(language consultants).

Mixed Sources
Product group from well-managed
forests and other controlled sources
www.fsc.org Cert no. TT-COC-002769
© 1996 Forest Stewardship Council

Contents

Symbols used in this Teacher's Book:

 Listening material available on CD

 S Self-study CD

 C 12 Copymaster activities

 en plus Additional extension activities

Summary of unit contents

Unit	Subject content	Grammar	Skills
1 Nos besoins énergétiques	The greenhouse effect Traditional and renewable energy sources For and against nuclear power	Revision of tenses	Translating from French into English
2 Comment protéger la planète	Individual ways of helping to protect the environment Environmental pressure groups Global responsibilities	The passive	Translating from English into French Choosing the correct tense after depuis Deciding when a subjunctive is needed
Révisions Unités 1–2	Revision of Units 1–2		
3 France, terre d'asile?	The history and evolution of immigration in France Integration and equal opportunities Everyday racism and how to react	The present subjunctive The perfect subjunctive	Preparing an oral presentation
4 Les riches et les pauvres	Poverty, unemployment and marginalisation in France Poverty in the developing world Global strategies to combat poverty	The pitfalls of translating into French	Expressing, justifying and defending a point of view
Révisions Unités 3–4	Revision of Units 3–4		
5 Crimes et châtiments	Internet crime Young people and crime Punishing crime: alternatives to prison sentences	The past conditional Choosing which tense to use	Understanding and presenting a text
6 Les technologies nouvelles	New technology in everyday life Ethical issues relating to advances in human genetics For and against genetically modified organisms	The future perfect/*futur antérieur*	Building up complex sentences
Révisions Unités 5–6	Revision of Units 5–6		
7 La littérature et les arts	The life, literature and philosophy of Albert Camus The life and work of François Truffaut The history and characteristics of Impressionist painting	The past historic	Discussing and writing about literature and the arts
8 Patrie, Europe et francophonie	The French-speaking world France's colonial past and its current role within the European Union The values, traditions and beliefs of French people	Revision of verb forms and tenses	Answering questions in French
Révisions Unités 7–8	Revision of Units 7–8		

Unit	Subject content	Grammar	Skills
9 Questions de politique	Politics in general and how to make your own voice heard Politics in France and in Europe War and terrorism	Recognising the imperfect subjunctive	Revision of some of the skills practised during the course
Révision Unité 9	Revision of Unit 9		
Stretch and challenge	Extension exercises Units 1–9 (one page per unit)		
Essay-writing skills	Practical guidance on how to plan and write an essay		
Grammaire	Grammar reference section, including verb tables		
Vocabulaire	French–English glossary		

AQA Specification match

AQA topics and sub-topics (A2 level)	Elan 2 Students' Book reference
Environment	
Pollution Types, causes and effects of pollution; measures to reduce pollution; individual action/responsibility versus collective action-responsibility; transport issues	Unit 1, pp. 5–14 Unit 2, pp. 15–24 Unit 1–2 Revision, p. 26
Energy Coal, oil and gas; nuclear; alternative energy sources; changing attitudes to energy consumption	Unit 1, pp. 5–14
Protecting the planet Ways of minimising environmental damage; the role of pressure groups; initiatives to improve awareness and change behaviour; responsibilities towards other nations, especially developing countries	Unit 1, p. 11 Unit 2, pp. 15–24 Unit 1–2 Revision, p. 25
The Multicultural Society	
Immigration Reasons for immigration; benefits and problems of immigration for immigrants and for country of destination; migration within the enlarged EU; curbs on immigration	Unit 3, pp. 27–36 Unit 4, pp. 37–38 Unit 3–4 Revision, p. 47 Unit 8, p. 85
Integration Factors making integration difficult; factors facilitating integration; to which culture should immigrants show loyalty?; experiences of individual immigrants	Unit 3, pp. 27–36 Unit 4, p. 43 Unit 3–4 Revision, pp. 47–48
Racism Victims of racism; reasons for racism; measures to eliminate racism and their effectiveness; experiences of individuals, including those of 2nd and 3rd generation immigrants	Unit 3, pp. 27–33 Unit 3–4 Revision, p. 48
Contemporary Social Issues	
Wealth and poverty Causes of poverty in Europe and developing countries; work of charitable organisations and governments; attitudes to wealth and poverty; link between wealth and health	Unit 4, pp. 37–46 Unit 3–4 Revision, p. 47
Law and order Examples of crime, especially committed by or affecting young people; reasons for criminal and anti-social behaviour; measures to reduce crime and their effectiveness; alternatives to imprisonment, their appropriateness and effectiveness	Unit 5, pp. 49–58 Unit 5–6 Revision, p. 69
Impact of scientific and technological progress Technology in the home and workplace, including IT; space and satellite technology; medical research; ethical issues linked to scientific and technological progress	Unit 6, pp. 59–68 Unit 5–6 Revision, p. 70
Cultural topic	
A target language-speaking region/community	Unit 8, pp. 82–84
A period of 20th century history from a target language-speaking country/community	Unit 8, pp. 82–85 Unit 7–8 Revision, p. 91
The work of an author from a target language-speaking country/community	Unit 7, pp. 72–73 Unit 7, p. 80
The work of a dramatist or poet from a target language-speaking country/community	Unit 7, pp. 74–75 Unit 7, p. 80
The work of a director, architect, musician or painter from a target language-speaking country/community	Unit 7, pp. 76–77 Unit 7–8 Revision, p. 91

Edexcel Specification match

Edexcel topics and sub-topics (A2 level)	Elan 2 Students' Book reference
Customs, traditions, beliefs and religions	
	Unit 8, pp. 86–87
National and international events: past, present and future	
	Unit 8, pp. 81–85
	Unit 8, p. 90
	Unit 7–8 Revision, pp. 91–92 Unit 9, pp. 98–99 Unit 9 Revision, p. 103
Literature and the arts	
	Unit 7, pp. 71–80
Research-based essay	
Geographical area	Unit 1, p. 14
Historical study	Unit 3, p. 29
Aspects of modern French-speaking society	Unit 7, p. 75 Unit 8, p. 83 Unit 9, p. 97
Literature and the arts	Unit 7, p. 75 Unit 7, p. 80

WJEC Specification match

Environmental issues	
Technology pollution	Unit 2, pp. 64–65 Unit 5–6 Revision, p. 70
Global warming	Unit 1, pp. 6–7
Transport	Unit 2, p. 24
Energy	Unit 1, pp. 7–9
Nuclear energy	Unit 1, pp. 10–11
Renewable energies	Unit 1, pp. 8-9 Unit 1, p. 14
Conservation	Unit 2, pp. 20–21 Unit 1–2 Revision, p. 25
Recycling	Unit 2, pp. 15–17 Unit 1–2 Revision, p. 26
Sustainability	Unit 2, pp. 18-19

Social and political issues	
Role of the media	N/a
Racism	Unit 3, pp. 27–33 Unit 3–4 Revision, p. 48
Immigration	Unit 3, pp. 27–36 Unit 4, pp. 37–38 Unit 3–4 Revision, p. 47 Unit 8, p. 85
Social exclusion	Unit 3, pp. 30–33 Unit 4, pp. 37–39
Integration	Unit 4, pp. 37–41
Terrorism	Unit 9, pp. 98–99 Unit 9 Revision, p. 103
World of work (employment, commerce, globalisation, etc.)	Unit 3, p. 28 Unit 4, pp. 42–43

CCEA Specification match

Local and Global Citizenship	
Equality and inequality – types/causes	Unit 3, pp. 27–36 Unit 4, pp. 37–41
Achieving equality in society	Unit 3, p. 36 Unit 4, pp. 42–43
Discrimination and prejudice – causes and consequences	Unit 3, pp. 27–36 Unit 4, pp. 37–41
Dealing with discrimination and prejudice	Unit 3, pp. 30–33
Poverty – causes and consequences	Unit 4, pp. 38–41
Eradicating poverty locally and globally	Unit 4, pp. 38–41
Multicultural society – challenges and pressures	Unit 3, pp. 27–36
Recent developments and changes	Unit 3, pp. 28–29
Immigration – issues/benefits/integration	Unit 3, pp. 27–36
Understanding cultural differences	Unit 3, pp. 30–34 Unit 4, pp. 40–41
Development of local and global democracy	Unit 9, pp. 94–97
Causes and consequences of conflict, and ending conflict	Unit 2, pp. 20–21 Unit 4, pp. 42–43

Environmental awareness	
Importance of conservation for society	Unit 1, p. 13
Different types of conservation	Unit 2, pp. 15–21
Opposition to conservation	N/a
Pollution and waste – sources and solutions	Unit 1, pp. 5–7 Unit 1, p. 14
Alternative and renewable energy sources	Unit 1, pp. 5–11
Causes and consequences of climate change	Unit 1, pp. 6–7
Role of governments in protecting the environment	Unit 1, pp. 8–9
Collective and personal responsibility	Unit 2, pp. 15–17 Unit 2, pp. 20–21 Unit 2, p. 24 Unit 1–2 Revision, p. 25–26

Introduction

The course

Welcome to **Elan 2**!

Elan 2 is the second stage of a two-part French course written to match the new AS and A2 specifications for AQA, Edexcel, WJEC and CCEA. It has been written by a team of experienced authors and practising teachers and is suitable for a wide range of learners.

Rationale

The aims of **Elan 2** are:
- to provide thorough coverage of the A2 specifications for AQA, Edexcel, WJEC and CCEA (see grids on pages 6–9 of this book) and prepare students for the A2 examinations
- to provide material suitable for A2 students of all abilities to ease the transition from AS to A2 level
- to provide comprehensive grammatical coverage and practice of the QCA-defined grammatical content
- to help students develop specific learning strategies, for example dictionary skills, independent study, vocabulary learning and pronunciation techniques
- to enable students to take control of their own learning by means of learning strategies, reference and revision sections, study skills and opportunities for independent study
- to encourage success by providing clear objectives and by practising language via activities with a clear purpose

The components of Elan 2

Students' Book

The Students' Book is the complete handbook for advanced level studies, providing a comprehensive and integrated programme of teaching, practice, revision and reference for students. This Teacher's Book contains the following sections:

Unités 1–9

There are nine units on different topics. Each unit has been planned to be interesting and motivating, as well as to develop relevant strategies and skills for independent study and preparation for examinations. An outline of the content of each unit is given on Teacher's Book page 4.

Révisions

After every two units, there are two pages with a range of revision activities, aimed at providing further practice and consolidation of the language of the preceding units. Some of the activities are suitable for use in class whereas others are more suitable for homework.

Stretch and Challenge

This section on pages 105–113 of the Students' Book provides students with more demanding activities to reinforce the grammar and skills covered in units 1–9.

Essay-writing skills

This section on pages 114–120 of the Students' Book provides students with useful advice on researching, planning, revising and checking their essays.

Grammaire

This detailed reference section complements the grammar explanations given within the body of the Students' Book. All explanations are in English so that students are able to use it independently.

Vocabulaire

This French–English glossary contains selected words from the Students' Book.

Teacher's Book

Detailed teaching notes for each unit are provided. These notes include:

- suggestions for using the material in the Students' Book, including the revision pages
- answers to most activities, including possible answers where appropriate as well as the correct answers for true/false activities
- transcripts for all recorded material
- notes on when to use the copymasters within each unit
- a sample lesson plan

Oxbox Resource and Assessment CD-Roms

The Oxbox Resource and Assessment CD-Roms provide five copymasters for each unit:
- three general copymasters
- one/two *Zoom examen* copymaster(s)
- one/two *Au choix* copymaster(s)

Assessment material and planning grids are also included on the Oxbox Resource and Assessment CD-Roms.

Grammar Workbook

This 96-page Workbook contains thorough revision and practice of grammar covered in the Students' Book, with an answer booklet for self-marking if appropriate.

Audio CDs

The audio CDs provide the listening material to accompany the Students' Book. The scripted material was recorded by native French speakers. All CDs may be copied within the purchasing institution for use by teachers and students. The **Elan En solo** CD is ideal for self-study and it is advisable for students to have an individual copy of this CD to practise independent listening.

CD contents

CD 1: Unités 1–3, Révisions 1–2
CD 2: Unité 4, Révisions 3–4, Unités 5–6, Révisions 5–6, Unité 7
CD 3: Unité 8, Révisions 7–8, Unité 9

Features of an Elan unit

Unit objectives

Each unit begins with a list of topics with page references to their place in the unit. There are also objectives in English that provide clear information to students about what they will learn in the unit, including grammar and skills. The first page of each unit contains a visual stimulus and some activities to introduce the theme of the unit.

Core spreads

Each of the three core spreads begins with one or two questions to pinpoint what students will learn. Activities in all four skills are included on each spread, leading to a productive spoken and written task at the end of the spread.

Expressions-clés

These boxes provide key phrases for students to use in their written and spoken outcome tasks.

Grammaire

Many spreads feature a *Grammaire* section, focusing on a key grammar point. The explanations and instructions in these sections are in English, enabling students to use them independently. Activities are provided (lettered A, B, C, etc.) to reinforce each grammar point, and examples are included in texts on the spread so that students have an opportunity to see the grammar point in practice. There are also cross-references to pages in the grammar reference section and the Grammar Workbook.

Compétences

These sections provide practical skills advice and language-learning tips in English, with activities (lettered A, B, C, etc.) enabling students to put the advice into practice. They are ideal for self-study and are intended to improve aspects of students' performance and help them develop as independent learners.

En plus

These are additional activities, often provided on a copymaster, to extend what students have learnt on the spread.

Zoom examen

These two exam-practice pages provide students with additional activities to practise and improve the grammar, skills and examination techniques of the unit.

Au choix

At the end of each unit there is a page of self-study activities to reinforce the language, skills and grammar that students have learnt in the unit. The listening activities are recorded on a self-study CD.

Révisions

This section provides revision practice with exam-style questions to help students prepare for their A2 examination.

Elan and the new AS and A2 specifications

Elan is a structured two-part course intended for use over two years' study and has been written to follow the revised AS/A2 specifications for AQA, Edexcel, WJEC and CCEA. There are nine units in **Elan 2**, written to match the content of the revised A2 specifications.

The style and content of the activities would also be appropriate for use with other exam specifications.

Grammar

Elan 2 provides complete coverage of the QCA-defined grammar content. The deductive approach on the Students' Book pages and the extensive practice provided in the Grammar Workbook ensure that students are able to master all aspects of language structure required at this level.

Assessment

The assessment material in **Elan 2** has been written to match the style of the major examination boards. Practice in tackling exam-style questions is provided in the *Révisions* sections and on the Oxbox Resource and Assessment CD-Roms. Mark schemes for the assessments are provided in the teaching notes that are included in the Oxbox Resource and Assessment CD-Roms.

Key skills

The table below provides an overview of key skills coverage in **Elan 2**. It shows where there are opportunities to develop and/or assess some or all of the criteria for each key skill at level 3.

The following notes provide examples of how each key skill may be developed or assessed through the activities in **Elan 2**:

Communication

Teachers should note that, although the study of a modern foreign language helps students to develop their communication skills, *the evidence for this key skill must be presented in English, Irish or Welsh.* **Elan 2** offers opportunities for practising and developing communication skills rather than for generating assessed evidence.

For this key skill, students need to:

1a Take part in a group discussion

All **Elan 2** units provide opportunities for students to discuss topics in pairs, small groups or as a whole-class activity.

1b Make a formal presentation of at least eight minutes

Many of the topics covered in the coursebook provide a suitable basis for a presentation. Students should be encouraged to support their presentations using visuals (e.g. OHP transparencies, photographs, brochures, etc.), PowerPoint, audio clips and other appropriate material.

2 Read and synthesise information from at least two documents about the same subject

Elan 2 provides reading material on a wide range of topics, with activities designed to help students identify main points and summarise information. Students are also encouraged to undertake wider reading when researching information for productive spoken and written work. Their wider reading might include newspapers, magazines, books, publicity material, and Internet sources.

		Elan 2 units								
		1	2	3	4	5	6	7	8	9
Main key skills	Communication	✓	✓	✓	✓	✓	✓	✓	✓	✓
	Application of number		✓	✓		✓		✓	✓	
	ICT	✓	✓	✓	✓	✓	✓	✓	✓	✓
Wider key skills	Working with others	✓	✓	✓	✓	✓	✓	✓	✓	✓
	Improving own learning and performance	✓	✓	✓	✓	✓	✓	✓	✓	✓
	Problem solving	✓	✓	✓	✓	✓	✓	✓	✓	✓

3 **Write two different types of document**
Opportunities exist throughout **Elan 2** for students to attempt extended writing in a variety of styles, e.g. reports, essays and creative material on a range of themes, a film review, a biography, publicity material, informal and formal letters, etc.

Application of number

Although it may not be within the scope of a modern foreign language course to generate sufficient evidence to assess this key skill, **Elan 2** does provide opportunities for students to develop their ability to work with numbers. Numbers feature in most units (e.g. dates/years, percentages, statistics, population figures, etc.); however, the table on page 12 indicates only those units where students are involved in interpreting or commenting on statistics.

Information and communication technology

Students need to be able to:
1 search for and select information
2 enter and develop the information, and derive new information
3 present combined information such as text with image, text with number, image with number

All **Elan 2** units provide opportunities for students to develop aspects of this key skill. Criteria 1–3 (listed above) can be combined in a single extended piece of work in activities such as the following:

♦ Unit 2, page 20, activity 4. Students research an ecological problem that they believe is of worldwide importance. They then present their findings to the class using presentation software such as PowerPoint.
♦ Unit 3, page 33, activity 7: Students create an antiracist organisation which must include a name, logo and slogan. Students can use images and desktop publishing to achieve this.
♦ Unit 6, page 65, activity 4: Students write a presentation about the dangers and benefits of genetically-modified foods. Using PowerPoint, students explain and justify their point of view.

Working with others

All **Elan 2** units provide opportunities for students to work together, either in a one-to-one situation or as part of a group. These opportunities may take the form of interviews, discussions, debates and surveys, or they may involve students in a more creative activity such as producing an advertisement or a PowerPoint presentation, or inventing a role-play.

The following example shows how a group task can be developed and expanded in order to become a suitable means of assessing this key skill:

Unit 6, page 65, activity 3: Students work in two groups: one group represents the multinational company presenting the argument for growing GM crops near a French village. The other group represents the villagers who are wary of introducing GM crops.
1 They begin by dividing into two groups and preparing arguments for and against GM crops.
2 Students use the expressions from activity 2 and from the *Expressions clés* to help in forming their argument. The two groups of students then conduct their debate.
3 After completion of the task, students can review their work, sharing constructive feedback and agreeing on ways to improve collaborative work in the future.

Improving own learning and performance

Students are required to:
1 set targets and plan how these will be met
2 take responsibility for own learning and use plans to help meet targets and improve performance
3 review progress and establish evidence of achievements

All **Elan 2** units provide opportunities to meet these criteria through:
♦ **Clear objectives and means of reviewing progress**
Each unit begins with a list of objectives, providing clear information to students about what they will learn in the unit, including grammar and skills. In addition to these unit objectives, students should be encouraged to set their own personal targets relating to aspects of their performance that they want to improve, with an action plan showing how they intend to achieve the targets and how they will assess their progress. The *Révisions* sections at the end of each couple of units provide students with a means of reviewing their progress.
♦ **Strategies for improving performance**
All **Elan 2** units include *Compétences* sections, which suggest strategies and activities to help students develop as independent learners and improve aspects of their own performance. Strategies range from specific listening, speaking, reading and writing advice to tips on using dictionaries effectively and suggestions on recording and learning new language.

Problem solving

Although a modern foreign language course may not generate sufficient evidence to assess this key skill, language learning does provide opportunities to practise and develop problem-solving skills. For example, a 'problem' in language learning can take the form of any unknown word or phrase. If students are encouraged to 'work out' new language for themselves and take responsibility for their own learning instead of relying on teacher support, they develop problem-solving skills.

All **Elan 2** units provide opportunities for students to do this. In particular, the *Compétences* sections encourage students to become more independent in their language learning.

Information and communications technology

These notes provide a few examples of ways to use ICT with **Elan**. For more detailed information on current software and technologies, together with practical help and ideas on the use of ICT in the modern foreign languages classroom, you may find the following helpful:

- Becta (British Educational Communications and Technology Agency)
  www.becta.org.uk
- CILT (The National Centre for Languages)
  www.cilt.org.uk
- Languages ICT
  www.languages-ict.org.uk

Internet

Note on Internet safety: Before using the Internet with students, whether for online communication, the creation of web pages and blogs, or for research purposes, it is vital to be aware of safety issues. Guidance on this can be obtained from Becta (see website above).

Online communication

If your school has links with a partner school in a French-speaking country, the Internet offers a range of ways in which your students can communicate with their French counterparts, e.g. email, instant messaging, chat rooms, noticeboards and forums, audio- and video-conferencing, web pages and blogs. All these technologies enable the exchange of a wide range of information, from text and graphics to audio and video clips. They are extremely useful for motivating students, encouraging spontaneous communication and generating a source of additional teaching and learning material. The creation of web pages and blogs (e.g. to be viewed by a partner school in a French-speaking country) provides students with a sense of purpose, since they are writing for a real audience.

There are many opportunities in **Elan 2** where online communication can be used to enhance the work of a unit, e.g.

- Unit 2, page 15: Use the quiz questions as the stimulus for an environmental survey with a French partner class.
- Unit 5, page 49: Conduct a survey about crime with a French partner school.
- Unit 6, page 61, activity 3: As a follow-up to work on time travel, students could exchange ideas with a French partner class.
- Unit 9: Exchange information about the French and British political systems.

Internet research

The Internet can be a valuable research tool, giving both teachers and students easy access to authentic reading materials and cultural information about French-speaking countries. Opportunities for students to research on the Internet occur throughout **Elan**. Themes include:

- Unit 1, page 14, activity 3: future energy needs
- Unit 4, page 42, activity 2a: fairtrade
- Unit 7, page 75, activity 5: the life and films of François Truffaut
- Unit 8, page 85, activity 6: the European Union

Word-processing and text manipulation

Word-processing software allows text to be presented in a variety of forms that can be easily edited and manipulated. Words, phrases, sentences and paragraphs can be moved, changed, copied and highlighted, making it easier for students to experiment with language and to draft and redraft their work. Any written task can be completed on the computer, e.g.

- Unit 1, page 7, activity 7: Students write an answer to the question about the greenhouse effect being the largest problem we currently face, but a problem for which no one can find a realistic solution.
- Unit 3, page 33, activity 8: students write about immigration and racism in their country.
- Unit 4, page 39, activity 6: Students write a summary of the current situation regarding poverty in France.

- Unit 6, page 62, activity 5: students write a short essay on the advantages and disadvantages of genetic engineering.
- Unit 7, page 80, activity 4: Students write 300 words about which artist they feel is the most important out of the ones they have studied.

Desktop publishing

Desktop publishing software enables students to design sophisticated documents involving complex layout of text, clip art, digital photos and scanned images, e.g. brochures and leaflets, advertisements, posters, magazine-style articles and newsletters. Opportunities for students to use desktop publishing in **Elan** include:

- Unit 1, page 14, activity 3: Create a survey list of questions to ask the other students in the class about energy needs of the future. Then write an article based upon the survey findings.
- Unit 3, page 33, activity 7: Students create a logo and slogan for an antiracist organisation
- Unit 9, page 104, activity 4: Students work in a group of create a manifesto, poster or leaflet, press release and prepare a text for a press conference for the 'Parti des Jeunes'.

Databases and spreadsheets

Data-processing software allows text- and number-based information gathered by students, possibly during a class survey, to be entered into a database then sorted and analysed in different ways; spreadsheet software is more suitable for dealing with number-based (rather than text-based) data. Both of these technologies generate a range of opportunities for further language work, comparison and discussion of the data, etc.

Opportunities to use these technologies in **Elan** include:

- Unit 1, page 14, activity 3: After students have ranked the energy needs of the future in what they consider to be the order of importance according to the other students in the class, they could compile a database and discuss the results.

Presentation software

Presentation software (e.g. PowerPoint) allows students to create multimedia 'slides' combining text, images, sound and video clips, active links to web pages, animations, etc. The slides can be displayed to the whole class via a data projector and wall screen or interactive whiteboard. Themes for oral presentations in **Elan** include:

- Unit 2, page 20, activity 4. Students prepare a PowerPoint presentation on the subject of an ecological problem that they believe is of worldwide importance.

Lesson Plan

Date :	Teacher :	Class :

Objectives	Resources

Objectives for Students	Notes/Reminders

Starter:

Teaching sequence:

Differentiation/Extension:

Plenary:

Homework:

Unité 1 Nos besoins énergétiques

Unit objectives

By the end of this unit students will be able to:
- Talk about the greenhouse effect
- Discuss traditional and renewable energy sources
- Argue for or against nuclear power

Grammar

By the end of this unit students will be able to:
- Use different tenses

Skills

By the end of this unit students will be able to:
- Translate from French into English

Resources

- Student's Book page 5

page 5

1 Students read newspaper headlines and match the text to the photos.

Answers:

1 *D*   2 *A*   3 *F*   4 *B*   5 *C*   6 *E*

2a Students work in pairs and have two minutes to write down as many daily activities that require energy as possible.

2b Students read their list and consider ways of reducing energy. They take notes and then explain their ideas to other students.

L'effet de serre

pages 6–7

Planner

Grammar focus
- Verbs in the present tense
- Regular verbs in the future
- Irregular verbs in the future

Skills focus
- Discussing the greenhouse effect

Key language
- *l'effet de serre, l'environnement*

- *la biodiversité, les écosystèmes, la dégradation de la forêt, l'empreinte carbonique*
- *critiquer, contribuer, venir, jouer, vouloir, se poursuivre, paraître, réduire, disparaître*

Resources

- Students' Book pages 6–7
- CD 1 tracks 2–4
- Grammar Workbook pages 32 and 54
- Copymasters 3 and 4

1a As a starter activity, students work in groups to categorise activities according to their environmental impact, starting with the worst.

1b Students choose one of the activities from activity 1a and prepare to discuss it for one minute.

 2a Students are asked to match French expressions before listening to the audio about deforestation. English translations are given at the bottom of the page for reference.

Answers :

1 *d*   2 *g*   3 *c*   4 *f*   5 *b*   6 *e*   7 *a*

CD 1 track 2   **p. 6, activités 2a et 2b**

Les forêts sont des maillons essentiels de la chaîne de la vie. Elles jouent un rôle vital dans la régulation des climats et du cycle de l'eau et font partie des écosystèmes les plus riches et utiles de la planète. Selon les scientifiques, les forêts du monde renferment plus de 50% de la biodiversité terrestre. Or dans le monde la dégradation de la forêt se poursuit à un rythme inquiétant. Chaque semaine 200 000 hectares de forêts tropicales disparaissent. On estime que 20% des gaz à effet de serre émis dans l'atmosphère proviennent de la déforestation. Une exploitation forestière peu respectueuse de la nature et de l'homme, ainsi que des coupes pour installer des plantations industrielles, telles que le palmier à huile et le soja, sont les causes principales de cette disparition.

 2b Students listen again and write a sentence to explain the numbers taken from the text.

Answers :

a *Les forêts du monde renferment plus de 50% de la biodiversité terrestre.*

b *Chaque semaine 200 000 hectares de forêts tropicales disparaissent.*

c *On estime que 20% des gaz à effet de serre émis dans l'atmosphère proviennent de la déforestation.*

3 In this text, students listen to a news report about the recent fact-finding trip of the French Ecology Minister. Students are asked to write a summary of the text based on the key words which are printed in the Students' Book.

CD 1 track 3   **p. 6, activité 3**

L'organisation Planète Urgence vient de critiquer Jean-Louis Borloo, ministre français de l'écologie, du développement et de l'aménagement durable, à cause de son voyage récent au Groenland. On veut savoir s'il était nécessaire d'affréter l'airbus présidentiel pour faire 7000 kilomètres avec plus de 40 journalistes et scientifiques, parmi lesquels les climatologues Hervé Le Treut et Jean Jouzel. Ils voulaient voir le glacier Kanerlua, situé à plus de 200 kilomètres au nord du cercle polaire, mais est-ce que le ministre a considéré son empreinte carbonique? Il paraît que oui. Il s'est engagé à compenser les 65 tonnes de CO_2 que ce voyage a dégagé, dit-il. Mais, il faut dire que Planète Urgence a calculé que le voyage aurait coûté au moins 200 tonnes de CO_2. On attend mieux la prochaine fois!

---

4 Students listen to the text about biofuels and answer the questions.

Answers:

a *Elles émettent des gaz d'échappement nocifs.*

b *Pour les affamés du monde.*

c *Parce que pour cultiver des biocarburants on utilise des surfaces où on pourrait cultiver des produits alimentaires.*

d *On propose d'interdire la conversion de terres à la production de biocarburants.*

e *Des biocarburants produits à partir de déchets agricoles ou de plantes qui poussent naturellement sur des terres arides.*

CD 1 track 4   **p. 6, activité 4**

Nous savons déjà que l'énorme nombre de voitures sur nos routes contribue à la destruction de notre planète. Notre besoin de produits pétroliers augmente de jour en jour et les gaz d'échappement ont un effet nocif sur notre atmosphère. Alors, on se pose la question, est-ce que les biocarburants représentent une solution? Il paraît que non. Pourquoi pas? Parce qu'ils provoquent une difficulté encore plus urgente. Les biocarburants sont, selon les conclusions d'une conférence des Nations unies à Bruxelles, une catastrophe pour les affamés du monde. Si on utilise plus de surfaces pour les biocarburants, on réduit les surfaces disponibles aux produits alimentaires. D'où l'augmentation récente qu'on a vue dans les prix des produits alimentaires. On propose une interdiction immédiate sur la conversion de terres à la production

---

de biocarburants. Le délai devrait permettre de développer des biocarburants de deuxième génération, c'est-à-dire des produits à partir de déchets agricoles ou de plantes non agricoles qui poussent naturellement sur des terres arides.

---

5 Students are asked to complete the sentences using the present form of the verbs provided in the box.

Answers:

a *jouent*

b *se poursuit*

c *disparaissent*

d *vient*

e *veut*

f *paraît*

g *contribue*

h *réduit*

6a Students read the text and make a list of changes predicted under the given headings.

Answers:

Home	Transport	Food
walls with several 'skins' to improve ventilation, no central heating, lots of solar panels, intelligent windows which light up at night, no more light switches on timers, automatic temperature control.	*small communal cars, tramways, faster, wind-powered TGVs, far fewer plane journeys.*	*more local produce in season, less meat.*

6b Students are asked to reread the text and pick out six regular verbs and six irregular verbs in the future tense.

Answers :

verbes réguliers au futur: *vivra, changeront, existeront, se déplacera, se délassera, mangera*

verbes irréguliers au futur: *(six from)* relègueront, deviendront, seront, sera, faudra, auront, gênera

6c Using the text for support, students translate the sentences into English.

Answers:

a *Il n'y aura plus de chauffage central.*

b *On aura plus de panneaux solaires.*

c *Les voitures disparaîtront.*

d *Les voyages en avion seront chers.*

e *Les gens feront moins de voyages lointains.*

f *Nous mangerons moins de viande.*

7 Students are asked to discuss the greenhouse effect in groups and then write a text (250 words) about their feelings on it.

C3

Additional speaking and writing practice on this topic is provided by Copymaster 3.

C4

Additional practice of present tense verb forms is provided by the first two activities of Copymaster 4.

La révolution énergétique

pages 8–9

Planner

Grammar focus

♦ Perfect tense

♦ Imperfect tense

Skills focus

♦ Expressing opinions

Key language

♦ *les énergies renouvelables, une politique énergétique responsable, l'énergie solaire, le charbon, la biomasse, le gaz, le mazout, l'hydroélectricité, l'énergie éolienne, le pétrole*

Resources

♦ Students' Book pages 8–9

♦ CD 1 track 5

♦ Grammar Workbook pages 38 and 44

♦ Copymasters 2 and 4

1a Students select the four renewable energy sources from the list in the box.

Answers:

l'énergie solaire; l'énergie éolienne; la biomasse; l'hydroélectricité

1b Each of the renewable energy sources identified in activity 1a can be linked with the symbols in the diagram.

Answers:

1 *l'énergie solaire* **2** *l'énergie éolienne*
3 *l'hydroélectricité* **4** *la biomasse*

2a Students read the texts about environmental policy and the future of renewable energy and decide which of the statements refer to which text.

Answers :

1 *A*	**2** *B*	**3** *B*	**4** *A*
5 *A*	**6** *B*	**7** *A*	

2b Students copy the underlined words from the texts and translate them into English.

Answers :

une politique énergétique responsable
– a responsible energy policy

une énergie sûre et propre *– clean, safe energy*

l'arrêt du gaspillage *– stopping wastage*

une prise en compte du nucléaire *– taking nuclear energy into account*

la lutte contre le réchauffement climatique
– the fight against global warming

compte tenu de *– taking account of*

 3 Students listen to the text about renewable energy and then copy and complete the sentences.

Answers:

1 *inépuisables* **2** *soleil* **3** *chaleur* **4/5** *l'eau/le vent*
6 *cyclique* **7** *végétaux* **8** *produits chimiques*
9 *radiations* **10** *accident fatal*

CD 1 track 5   **p. 8, activité 3**

Les énergies renouvelables regroupent les sources d'énergie que la nature met en permanence à notre disposition et ce, en quantité inépuisable. Ainsi, le soleil nous apporte directement lumière et chaleur, tandis que l'eau et le vent, de par leur force cyclique et motrice, fournissent aussi de l'énergie. Enfin, il faut mentionner les végétaux, dont la pousse se renouvelle constamment.

D'un point de vue écologique, ces ressources ont l'avantage de ne pas polluer l'environnement. Si l'on prend le cas du chauffage (centrales thermiques et habitations) elles ne présentent pas le danger des produits chimiques dégagés par le gaz, le mazout ou le charbon. En matière de production d'électricité, les énergies solaire ou éolienne, ou bien l'hydroélectricité ne créent aucun risque de radiations ou d'accident fatal, contrairement aux centrales nucléaires.

---

4 Students work in pairs to discuss renewable energy based on the list of topics provided.

5a Students read the first three paragraphs of the text and write a summary using the words given as the basis for their notes.

Possible answer:
APEVES helps people buy electricity generated by solar panels. The panels are set up on suitable properties and customers buy vouchers for the scheme, which is also subsidised by the Regional Council (of Franche-Comté). The electricity generated is fed into the EDF network.

5b Students read the interview and decide whether the statements are true, false or not mentioned.

Answers:
a *F*   **b** *F*   **c** *ND*   **d** *ND*   **e** *V*   **f** *ND*

5c Students are asked to reread the texts and find examples of verbs in the perfect and imperfect tense.

Answers :
passé composé: *(any five of:)*
nous avons créé, nous avons obtenu, j'ai toujours été, on nous a dit, j'ai invité, a permis, nous avons inscrit, il nous a parlé

imparfait: *(any five of:)*
il n'y avait, qui voulaient, on cherchait, était, fallait, vouliez-vous

5d Students are asked to complete the text using either the perfect or the imperfect form of the verbs in brackets.

Answers:
  1 *a choisi*
  2 *se trouvait*
  3 *s'intéressait*
  4 *n'a pas eu besoin*
  5 *a pu*
  6 *avait*
  7 *produisait*
  8 *a expliqué*
  9 *était*
 10 *brillait*
 11 *utilisait*
 12 *voulait*

C4

Further practice of the perfect tense is provided in activity 3 of Copymaster 4.

---

6 Students are asked to write a text (250 words) about renewable energy in the light of growing energy needs.

C2

Extended listening and reading activities on renewable energy and energy needs are provided on Copymaster 2.

Le nucléaire: pour ou contre?

pages 10–11

Planner

Grammar focus

♦ Present tense
♦ Perfect tense
♦ Conditional tense (*devrait*)

Skills focus

♦ Translating into English
♦ Identifying arguments for or against something

Key language

♦ *l'énergie nucléaire, des déchets nucléaires, une centrale nucléaire*
♦ *polluer, détruire*

Resources

♦ Students' Book pages 10–11
♦ CD 1 track 6
♦ Grammar Workbook pages 32, 38 and 60
♦ Copymaster 1

1a As an introduction to the reading activity, students are asked to skim the texts on page 11 and decide if each one is for or against nuclear power.

Answers:
For: *A, B, E, H*
Against: *C, D, F, G*

1b Students read through the articles and decide which statement relates to which article.

Answers:
1 F   2 E   3 A   4 C   5 F   6 B
7 D   8 H   9 C   10 G   11 E   12 H

1c Students are asked to suggest a title for each of the articles on page 11.

  2a Students listen to the five people talking about nuclear power. For each one, they note down whether the person is for or against nuclear power.

Answers:
Pour: *3   **Contre:** 1, 2, 4*
Sans opinion fixe: *5*

CD 1 track 6   **p. 10, activités 2a et 2b**

1
Je pense que le gouvernement devrait cesser au plus tôt le nucléaire. Faut-il un autre Tchernobyl pour que l'on arrête de vivre sous la constante menace d'un accident nucléaire?

2
Les Etats-Unis, où l'on a une longue expérience des problèmes nucléaires, ralentissent actuellement leur programme d'installation de centrales atomiques pour se tourner vers d'autres énergies.

3
Je suis en faveur de l'énergie nucléaire, car c'est un secteur qui crée des emplois. On lui doit aussi de nouveaux projets comme l'aquaculture. A proximité des centrales, on utilise l'eau tiède qu'elles rejettent pour élever des poissons et des crevettes.

4
On évoque toujours notre indépendance énergétique. Mais la France doit acheter de l'uranium enrichi à d'autres pays pour le fonctionnement de ses centrales. En plus il faut compter le stockage des déchets et les factures énormes du démantèlement des centrales nucléaires. L'électricité produite perd ainsi de sa compétitivité face aux énergies renouvelables. Alors, regardons de plus près les chiffres!

5
Je serais pour un référendum national afin de demander aux Français si oui ou non ils veulent poursuivre le nucléaire. Ceci exigerait une campagne d'informations complète pour que la population pèse le pour et le contre en toute objectivité.

2b Students listen to the audio again and complete the sentences.

Answers:

a *du risque d'un accident comme celui de Tchernobyl.*

b *construit moins de centrales atomiques et on se tourne vers d'autres énergies.*

c *la création d'emplois et de nouveaux projets en aquaculture.*

d *l'achat de l'uranium enrichi, le stockage des déchets et le démantèlement des centrales nucléaires.*

e *un référendum national.*

3 Students discuss in groups if they are for or against nuclear power. The discussion is based upon answering three questions.

Compétences

Translating into English

Students are given advice on how best to translate text into English.

They are reminded that it is sometimes best not to use the closest English word and that it is best to use the context to guess the meaning of any unknown words.

A Students look back at the texts A-C on page 11 and decide upon the best translation.

Answers:

| 1*b* | 2*c* | 3*a* | 4*c* | 5*c* | 6*a* |
| 7*b* | 8*a* | | | | |

B Students are asked to look at texts E-H on page 11 and guess the meaning of the words/phrases given.

Answers:

1 *coast*

2 *landslides*

3 *occurred*

4 *prevents*

5 *asset*

6 *supporters*

---

4 Students are asked to use the provided quote to conduct a classroom debate about nuclear power.

5 Students are asked to write a text (300 words) in response to the quote in activity 4.

> **C1**
>
> A more challenging reading activity based on the issues of fossil fuels and nuclear energy is provided on Copymaster 1.

Zoom examen

page 12

> **Planner**
>
> *Grammar focus*
> ♦ Tenses
> ♦ Use of *faire*
>
> *Resources*
> ♦ Students' Book page 12

Tenses

Students are reminded of the main tenses that they have covered so far.

1 Students are asked to identify the correct tense for each scenario.

Answers:

a *perfect*

b *conditional*

c *present*

d *future perfect*

e *imperfect*

f *conditional perfect*

g *pluperfect*

h *future*

2 Students are asked to identify the verbs in the two texts and the tenses they are in.

Answers:

A *veut – present*

B *a calculé – perfect, suffiraient – conditional*

C *s'est engagé – perfect, avait dégagé – pluperfect aurait coûté – conditional*

D *jugule – present, sera – future*

E *a dit – perfect, cherchait – imperfect, j'ai invité – perfect, paraît – present, il fallait - imperfect*

3 Students are asked to translate the sentences into English.

Answers:

a *Nuclear energy allows us to save the earth's resources.*

b *We have not been told enough about the risks.*

c *How many deaths were recorded in Russia?*

d *How many deaths would ensue from such an accident today?*

e *In the past we relied too much on finite resources.*

f *At that time we were regularly opening new power stations.*

g *Without nuclear power stations we would not have been able to produce enough energy.*

h *When will the necessary decisions be taken about radioactive waste?*

i *One day we will have used up all stocks of coal and gas.*

j *In fact we might have done so already if we hadn't developed so many other methods of producing energy.*

4 Students are asked to translate the text into French.

Answers:

a *Nous avons fait*

b *Tu ne fais pas*

c *Elle fera*

d *Ils n'auraient pas fait*

e *Je ferais*

f *Il faisait*

g *Vous n'aviez pas fait*

h *Je n'aurai pas fait*

Compétences

page 13

Translating into English

1 Students are asked to refer to the text on page 7 and discuss with a partner what the main points are.

2 Students are asked to consider the style of the two sections of text on page 9 and to consider how they would translate them.

3 Students examine a text and its literal translation and are asked to make improvements to it to make it sound more natural.

4 Students are asked to implement what they've learnt and translate text C on page 11.

Possible answer:

On the occasion of the 22ⁿᵈ anniversary of the Chernobyl disaster, many local Greenpeace groups organised more than 160 initiatives throughout France for Chernobyl Day. This day was an opportunity to recall the continuing scandal of down-playing the consequences of this nuclear disaster. In 2006, Greenpeace released an unpublished report compiled by 60 scientists from Belarus, the Ukraine and Russia which shows that the health impact of the Chernobyl catastrophe has been widely under-estimated by the IAAE (International Agency for Atomic Energy). This report concludes that 200,000 deaths caused by the disaster have been reported in Russia, Belarus and the Ukraine and that in the future more than 250,000 cancers, 100,000 of them terminal, will result from the disaster.

These figures prove that the death toll given by the IAAE, which stands at 4,000 deaths, is a gross down-playing of the extent of the suffering caused by Chernobyl. "22 years after the disaster", declares Frédéric Marillier, who runs the nuclear campaign at Greenpeace France, "it is time to turn away from nuclear energy and to form a different energy policy which is centred on self-control, efficiency and renewable sources of energy."

<table>
<tr><td>

C5

Additional practice of translation skills is provided by Copymaster 5.

</td></tr>
</table>

Au choix

page 14

<table>
<tr><td>

Planner

Resources

♦ Students' Book page 14
♦ CD 1 track 7

</td></tr>
</table>

 S

1a Students listen to the report about energy use in 2006 and fill in the table.

Answers:

	hausse (H) ou baisse (B)?	pourcentage
Transports	*H*	*1%*
Industrie	*B*	*0,7%*
Carburants routiers	*H*	*0,4%*
Hydroélectrique	*H*	*8%*
Eolien	*H*	*120%*
Photovoltaïque	*H*	*-*

<table>
<tr><td>

CD 1 track 7 p. 14, activités 1a et 1b

Le Ministère de l'Economie et des Finances a remis le 5 avril 2007 le bilan énergétique 2006 de la France. La consommation d'énergie a augmenté d'environ 1% dans le domaine du résidentiel et celui des transports. Il y a eu une baisse de consommation énergétique dans l'industrie, mais seulement de 0,7% et ceci varie selon les secteurs. La hausse des ventes de carburants routiers (+0,4%) se poursuit malgré le niveau historique des cours du pétrole, et montre, si besoin était, la totale dépendance des transports à cette énergie.

On constate en même temps que le volume des renouvelables dans la consommation primaire est en hausse. L'essentiel en est dû à la bonne pluviosité, qui, en 2006, a accru la production hydroélectrique de 8%. Cette hausse a permis un moindre recours aux centrales thermiques et

</td></tr>
</table>

<table>
<tr><td>

explique l'essentiel de la baisse des émissions par le secteur énergétique. Seul l'éolien fait une poussée remarquée de 120%. En 2007, cette tendance se confirme et la hausse du photovoltaïque s'annonce forte en raison de la hausse des tarifs de rachat.

</td></tr>
</table>

S **1b** Students listen to the report again and answer the questions.

Answers:
a *2006*
b *Parce que le prix a augmenté*
c *jusqu'à quel point les transports dépendent des carburants*
d *On a produit plus d'énergie hydroélectrique parce qu'il a beaucoup plu*
e *On s'est moins servi des centrales thermiques*

2a Students read the article and copy and complete the sentences.

Possible answers:
a *énergies renouvelables*
b *réduites*
c *plus*
d *l'éolien et l'énergie solaire*
e *pourraient être alimentés par l'énergie solaire*

2b Students reread the article and pick out verbs in the listed tenses.

Answers:
a *prend, estiment, s'accroit, est*
b *permettrait, pourrait*
c *ont amené*
d *20% des besoins en électricité du Danemark sont déjà couverts par des champs d'éoliennes.*

2c Students translate the article into English.

Possible answer:
Progress at last!

Practically everywhere in the world, people are becoming increasingly aware of the profitability of renewable sources of energy. Some scientists think that renewable forms of energy could potentially allow us to stabilise, or indeed reduce, world greenhouse gas emissions by 2010 without incurring extra costs.

Wind turbine use is growing by 30% a year. In Denmark, 20% of electricity needs are already met by wind parks. Solar energy is also fast expanding and recent technical advances have led manufacturers to predict that it could supply two billion households in 20 years' time.

Unité 2 Comment protéger la planète

Unit objectives

By the end of this unit students will be able to:
♦ Talk about individual ways of helping to protect the environment
♦ Discuss the efforts of environmental pressure groups
♦ Discuss global responsibilities in environmental protection

Grammar

By the end of this unit students will be able to:
♦ Use the passive form correctly

Skills

By the end of this unit students will be able to:
♦ Translate from English into French
♦ Use *depuis*
♦ Use the subjunctive

Resources

♦ Students' Book page 15

page 15

1a Students read and answer the quiz.

1b Students compare their answers with a partner and then discuss as a class.

Les petits gestes individuels

pages 16–17

> **Planner**
>
> *Grammar focus*
> ♦ Using the present tense verb forms
> ♦ Using *devrait* and *pourrait*
>
> *Skills focus*
> ♦ Translating from English into French
>
> *Key language*
> ♦ *gaspiller, faire du covoiturage, éviter, recycler, trier, éteindre les lumières, baisser le chauffage central, protéger l'environnement, les emballages, privilégier, biodégradables, jeter, générer*

> *Resources*
> ♦ Students' Book pages 16–17
> ♦ CD 1 track 8
> ♦ Grammar Workbook pages 32 and 60

1a Students work in pairs and have two minutes to come up with a list of things they could do to be more environmentally friendly.

1b Students present their list to the class.

2 Students read the texts and decide if the person could do more to help the environment.

Answers:
A ✗
B ✓
C ✗
D ✓
E ✗
F ✓

 3 Five people talk about what they do to help protect the environment. Students listen carefully and complete the table noting what each person currently does and what else they think they could do. The heading '*devrait/pourrait…*' introduces the use of common forms of the conditional in preparation for further work on this on the next spread.

Answers:

	action	devrait/pourrait faire
1	*recycler les déchets recycler le papier et les bouteilles*	*recycler les boîtes de conserve et les emballages*
2	*faire partie des Amis de la Terre*	*participer à leurs actions distribuer des dépliants*
3	*prendre son vélo au lieu de sa voiture*	*se servir de son vélo plus souvent*
4	*sélectionner les produits verts*	*manger bio*
5	*économiser l'eau et l'énergie*	*se doucher au lieu de se baigner*

> **CD 2 track 8** p. 16, activité 3
>
> 1 Pour protéger l'environnement, je recycle systématiquement les déchets. Je garde le papier et les bouteilles en verre pour les déposer ensuite dans les conteneurs aménagés par la municipalité.

C'est déjà quelque chose mais je devrais aussi recycler les boîtes de conserve et les emballages.

2 J'ai adhéré au mouvement Les Amis de la Terre il y a deux ans. Ça me plaît de faire partie de ce groupe international qui organise des actions et se bat pour protéger la nature. Je pourrais participer à leurs actions, surtout à celles qu'on organise dans ma ville, par exemple, distribuer des dépliants devant les supermarchés.

3 Pour moins contribuer à la pollution, j'aimerais moins utiliser ma voiture. Mais … c'est pratiquement impossible! J'habite à la campagne et les transports en commun sont très rares ou marchent mal. Quelquefois je prends mon vélo pour aller voir des amis, par exemple, et je sais que je devrais m'en servir plus souvent.

4 En tant que consommatrice, je possède une certaine influence. Je sélectionne les produits verts, non polluants, pour le nettoyage ménager. Je devrais aussi acheter des produits bio qui sont plus nourrissants et donc meilleurs pour la santé. Le problème, c'est que ça coûte cher. J'espère que les prix baisseront au fur et à mesure que la demande augmentera.

5 J'ai peur qu'on manque d'eau à l'avenir, à cause de l'effet de serre. C'est pourquoi j'essaie d'économiser l'eau et aussi les moyens d'énergie comme le gaz et l'électricité. Pour l'eau, par exemple, je n'arrose pas la pelouse, j'ai une machine à laver écologique … et je sais que je devrais me doucher au lieu de me baigner.

4 Students complete the sentences by using one of the words from the box.

Answers:
a *trie*
b *recyclable, conteneur*
c *biodégradables, en plastique*
d *recyclé*
e *poubelle*
f *jeter, entoure*
g *quantité*
h *utiles*
i *évite, ménagers*
j *privilégie, génèrent*

5a Students discuss in pairs which person is the most environmentally friendly.

5b Students prepare to talk for 1-2 minutes about things they do (or don't do) for the environment. Students should try to use different tenses where possible, following the model given.

6 Students read the text and match each sentence to a paragraph.

Answers:

1 *B*	**2** *C*	**3** *D*	**4** *A*
5 *A*	**6** *B*	**7** *C*	**8** *B*

Compétences

A Students read the text and find the equivalent French expressions.

Answers:
1 *contraignants*
2 *visant à*
3 *améliorer*
4 *le comportement*
5 *les enjeux*
6 *maintes*

B Students use the text for support and translate sentences from English into French.

Answers:
1 *Même les idées simples auront un grand impact sans vous contraindre.*
2 *Réduisez votre gaspillage énergétique en employant des énergies renouvelables.*
3 *Plantez un arbre et vous réduirez l'impact des gaz à effet de serre sur notre planète.*
4 *Un changement de comportement est important, mais une prise de conscience est aussi importante.*
5 *Ceux qui ne comprennent pas n'agiront pas.*
6 *Les enjeux sont considérables et même les gestes simples vont faire la différence.*
7 *La bonne nouvelle, c'est qu'on peut améliorer la qualité de vie de chacun.*
8 *Chacun doit contribuer afin de sauvegarder ce qui est pour nous si important.*

7 Students write 250-300 words in response to a quote about saving the planet.

On se mobilise pour la planète

pages 18–19

Planner

Grammar focus

♦ Using the future tense
♦ Using the passive

Skills focus

♦ Preparing a presentation on ecological action

Key language

♦ *une campagne écologique, une journée porte-ouverte, des actions pédagogiques, des expositions, un débat, sensibiliser, mettre en place, faire la promotion de, se mobiliser pour, animer des ateliers, organiser une manifestation, une prise de conscience, un sondage*

Resources

♦ Students' Book pages 18–19
♦ CD 1 track 9
♦ Grammar Workbook pages 54 and 66
♦ Copymasters 6, 8 and 9

1a   Students get into groups to discuss what they could do as part of an ecological campaign.

2a   Students read the last paragrah of the article on page 19 and fill in the table.

Answers:
1   *La Semaine du développement durable*
2   *1-7 avril*
3   *« Vivons Ensemble Autrement »*
4   *Ministère de l'Ecologie et du Développement durable*
5   *1970*
6   *7,5% plus de projets que l'année dernière/57% des Français ont entendu parler de développement durable, par comparaison avec 23% il y a cinq ans.*

2b   Students reread the text and write about five projects mentioned.

Answers:
Any 5 of:
-   *A Lille il y aura un village du développement durable où on pourra discuter des projets de recyclage ou du sport et du développement durable.*
-   *En Ile-de-France on va nettoyer les espaces verts de la commune de Combs-la-Ville.*
-   *En Bretagne on pourra découvrir les sources de l'Aber Wrac'h et s'informer sur la qualité de l'eau.*
-   *A Narbonne il y aura un autobus pédestre à destination de deux écoles.*
-   *A Strasbourg, l'Electricité de Strasbourg distribuera des ampoules basse consommation et on fera la promotion des économies d'énergie.*
-   *En Midi-Pyrénées on pourra visiter une maison solaire.*
-   *En Drôme Provençale on pourra s'informer sur le bois déchiqueté et les séchoirs solaires.*
-   *A Mézin un collège animera des ateliers de sensibilisation aux biocarburants et à l'effet de serre.*

2c   Students copy the words from the text and translate them into English.

Answers:
a *educational initiatives*
b *open day*
c *exhibitions*
d *a debate*
e *to raise awareness*
f *to set up (a project)*
g *to promote*
h *to join forces in order to*
i *to run workshops*
j *to organise a demonstration*
k *awareness*
l *a survey*

3a   Students listen to the report about environmental action in Besançon and summarise it in less than 15 words.

Possible answer:
... organised a number of initiatives to encourage recycling on their university campus.

CD 1 track 9   **p. 18, activités 3a et 3b**

-   Bonjour à tous et bienvenue à 'Éco Action'. Je suis aujourd'hui à Besançon, parce que j'ai voulu interviewer un groupe d'étudiants qui ont mis sur pied une action écologique très intéressante. Alors, Jules, vous pouvez nous expliquer un peu de quoi il s'agit?

-   Oui, bonjour. Il s'agit d'une action d'information relative à la gestion des déchets.

-   Et pourquoi avez-vous choisi ce thème?

-   Saviez-vous que la France ne recycle que 18% de ses déchets? Nous sommes encore loin de la moyenne européenne qui tourne autour des 30%. Donc, nous avons décidé de voir si nous, un groupe d'étudiants, pourrions encourager les autres à faire les changements nécessaires.

-   Et vous faites quoi, exactement?

-   Plusieurs choses. Par exemple, depuis mi-décembre, Radio Campus Besançon diffuse tous les vendredis de 13h à 14h l'émission *Eco-campus* réalisée par quatre étudiants. Chaque émission est structurée en trois parties: des réponses à des questions d'auditeurs, des informations sur l'environnement et un dossier principal avec des interviews de professionnels. Les deux premières émissions ont notamment fait le point sur le tri des déchets à Besançon et les différentes possibilités de recyclage. Ensuite, il y aura deux émissions qui seront consacrées à la prévention des déchets.

> - Donc, vous donnez beaucoup d'informations. Faites-vous aussi quelque chose de pratique?
>
> - Oui, on a organisé une action citoyenne en matière environnementale. Durant la semaine du 30 janvier au 3 février, quatre étudiants ont mis en place une campagne de sensibilisation au tri des déchets sur le campus. On avait remarqué que les bennes de recyclage placées à différents endroits du campus étaient peu utilisées. On a organisé une exposition de panneaux sur le recyclage et son importance pour éviter le gaspillage. Et puis, on a fait une enquête auprès d'une cinquantaine d'étudiants afin de mieux comprendre leurs pratiques vis-à-vis des déchets.
>
> - Et quels en sont les résultats?
>
> - Cette campagne a suscité pas mal d'intérêt et puis d'autres étudiants ont choisi de faire des projets complémentaires. Par exemple, un groupe a décidé de mettre en place des bacs à papier dans l'ensemble des bureaux administratifs. Un autre a amélioré la signalétique des bacs destinés au recyclage des cartouches d'encre pour imprimantes. Ce sont des initiatives conçues et réalisées à petite échelle et sur une période réduite, mais elles seront développées dans l'avenir. Notre but est une vraie stratégie active et efficace de tri des déchets sur l'ensemble du campus. Et après, qui sait? Une stratégie pour la ville de Besançon, peut-être ou même pour le Jura tout entier!
>
> - Eh oui, on change le monde par petites étapes!
>
> - Voilà, c'est ça! En fait, ce serait un bon slogan pour nous. 'On change le monde par petites étapes', oui, j'aime ce slogan!

 3b Students listen to the report again and answer the questions.

Answers:

a *La gestion des déchets.*

b *En France on ne recycle que 18% des déchets, mais la moyenne européenne est d'environ 30%.*

c *Elle est diffusée par la Radio Campus Besançon tous les vendredis de 13 à 14 heures.*

d *On a déjà parlé du tri des déchets à Besançon et des possibilités de recyclage.*

e *La prévention des déchets.*

f *Parce qu'on avait remarqué que les bennes de recyclage sur le campus étaient peu utilisées.*

g *Une exposition de panneaux sur le recyclage et une enquête auprès d'une cinquantaine d'étudiants.*

h *Ils ont mis des bacs à papier dans les bureaux administratifs et ils ont amélioré le système pour*

recycler les cartouches d'encre pour imprimantes.

i *Ils veulent créer une stratégie active et efficace de tri des déchets sur l'ensemble du campus.*

j *« On change le monde par petites étapes. »*

3c Students fill in the gaps using the passive voice with the past participles in brackets. Students are advised to take care with endings and the tense used.

Answers:

a *sont recyclés*

b *est diffusé*

c *seront consacrées*

d *a été organisée*

e *étaient peu utilisées*

f *ont été mis*

g *ont été conçues et réalisées*

h *seront développées*

3d Students translate the sentences from activity 3c into English.

Answers:

a *Only 18% of rubbish in France is recycled.*

b *Eco-campus is broadcast every Friday by Radio Campus Besançon.*

c *Two future programmes will be devoted to the prevention of rubbish.*

d *A citizen's action has already been organised.*

e *They had noticed that the campus recycling bins were not used very much.*

f *Paper bins have recently been installed in the administrative offices.*

g *Until now, these initiatives have been designed and carried out on a small scale and over a short period.*

h *However, they will be developed in the future.*

4 Students select or make up an ecological action and prepare a 1-2 minute talk on it.

 Writing task. Students research and write a report of 200 words on a French ecological project. Students describe the project and its aims and give their own opinion on the success or otherwise of the project.

C6

Additional reading and translation practice about ecological action can be found on Copymaster 6.

C8

Additional listening, reading and speaking practice on the subject of volunteer work is provided by Copymaster 8.

C9

Additional Grammar practice of the passive is provided by Copymaster C9.

A l'échelle mondiale

pages 20–21

Planner

Grammar focus

♦ Use of *depuis* and *puisque*

Skills focus

♦ Talking about an ecological issue

Key language

♦ *les pays industriels, la crise écologique, les pays en voie de développement, endommager, exploiter, les déchets d'uranium, la déforestation*

Resources

♦ Students' Book pages 20–21
♦ CD 1 tracks 10–11
♦ Grammar Workbook pages 66 and 19
♦ Copymaster 7

 1a Students read and listen to the opinions of four teenagers on the subject of global measures against environmental damage. Students then discuss in groups which opinions, if any, they agree with, citing examples if possible.

CD 1 track 10   **p. 20, activité 1a**

La protection de l'environnement, est-ce plutôt un thème mondial?

1

Nous, dans les pays industrialisés, on achète des marchandises et des matières premières aux pays moins riches à des prix fous. Peu importe si on exploite les ouvriers d'un autre pays ou si on détruit leur paysage.

2

Les grandes entreprises internationales ont une énorme responsabilité à cet égard. Elles sont toutes-puissantes et pourraient vraiment changer les choses si elles le voulaient. Mais, évidemment, elles ne pensent qu'aux bénéfices.

3

Eh oui, surtout parce que parmi les pays en voie de développement il y en a pas mal qui sont très polluants. Leur économie est en pleine croissance, leur industrie se développe à une vitesse incroyable, et cela cause d'énormes problèmes.

4

Les pays riches n'ont pas peur d'endommager les autres. Si on a des déchets et qu'on ne sait pas comment s'en débarrasser, on peut toujours les envoyer ailleurs. Facile, non?

1b Students match each teenager from the texts in activity 1a, with text A-D on page 21.

Answers:
1 *C*   **2** *D*   **3** *A*   **4** *B*

2a Students reread text A on page 21 and decide if the statements are true/false or not mentioned.

Answers:
a *V*   **b** *F*   **c** *ND*   **d** *V*

2b Students reread text B on page 21 and complete the sentences.

Answers:
a *… des déchets d'uranium français vers la Russie.*
b *… exactement combien de déchets ont été envoyés en Russie.*
c *… a un contrat avec EDF.*

2c Students reread text C on page 21 and choose the correct multiple-choice answer.

Answers:
1 *c*   **2** *b*

2d Students reread text D on page 21 and using the text, translate the English sentences into French.

Answers:
a *Greenpeace veut que toutes les multinationales se joignent à leur appel contre la destruction des forêts en Indonésie.*
b *Des activistes se sont déguisés en orangs-outans et ont manifesté dans plusieurs villes où sont situées les usines d'Unilever.*
c *Suite à la manifestion, le PDG d'Unilever a accepté de soutenir les demandes.*
d *Il a même promis qu'Unilever n'utiliserait que de l'huile de palme durable dans ses produits d'ici 2015.*

 3 Students listen to a report about the third Major Economies Summit and answer the questions.

Answers:
a *Les 16 principaux pays du monde.*
b *Ils provoquent 80% des émissions mondiales de gaz à effet de serre.*

c *La réduction des émissions de gaz à effet de serre et des transferts de technologie.*

d *D'arrêter la progression de leurs émissions d'ici 2025.*

e *Les Etats-Unis et la Chine.*

f *Ils n'ont pas ratifié le Protocole de Kyoto.*

g *Les pays développés.*

h *Ce ne sera qu'une déclaration d'intention.*

CD 1 track 11   **p. 20, activité 3**

Les 16 principaux pays, qui cumulent 80% des émissions mondiales de gaz à effet de serre, se retrouvent, jeudi 17 avril, pour deux jours de discussions informelles sur la lutte contre le changement climatique.

Après un premier sommet en septembre 2007 à Washington, suivi d'une réunion d'experts en janvier à Hawaï, ce troisième rendez-vous des "MEM" ("*Major economies meeting*") doit être plus particulièrement consacré aux possibilités de réduire les émissions de gaz à effet de serre et aux transferts de technologie.

A la veille de la réunion, les Etats-Unis, instigateurs de ce forum, ont annoncé qu'ils entendaient arrêter la progression de leurs émissions d'ici 2025, pour commencer à inverser la tendance. Cependant, le président George Bush n'a pas fixé d'objectif précis, ni proposé de nouvelles mesures.

Les MEM réunissent le G8 des pays les plus industrialisés, l'Australie et la Corée du Sud, ainsi que les grandes économies émergentes comme la Chine et l'Inde, qui refusent de s'engager tant que les Etats-Unis n'en font pas autant. Or les Etats-Unis, premiers "pollueurs" avec la Chine, restent le seul pays industrialisé à ce jour à ne pas avoir ratifié le Procotole de Kyoto. Ce protocole, dans sa première version en vigueur jusqu'en 2012, n'assigne de contrainte chiffrée qu'aux pays développés. Et les Etats-Unis et la Chine refusent tous les deux de s'engager sans l'autre.

La Maison blanche compte cependant rallier un consensus autour d'une "déclaration des leaders" des MEM, qu'elle pourrait publier lors du sommet du G8 en juillet au Japon. Cependant, il s'agira au mieux, d'une déclaration d'intention.

---

4 Students research and prepare a 2–3 minute presentation for the class about a major ecological problem.

 Writing task. Students write 250-300 words discussing whether some countries are more responsible than others for environmental damage. Is it still appropriate to talk of countries being victims and others of being perpetrators?

C7

Additional reading and listening practice on this subject is provided by Copymaster 7.

Zoom examen

page 22

Planner

Grammar focus

♦ The passive

Resources

♦ Students' Book page 22

Passive

Students are reminded how to form the passive.

1 Students identify the passive in each extract and translate it into English.

Answers:

a *seront fermés – will be closed*

b *être assurée – to be guaranteed*

c *a été organisée – has been organised*

d *sera légué – will be passed on*

e *auront été causés – will have been caused*

f *n'est pas justifiée – is not justified*

g *est menacée – is threatened*

h *avaient été libérés – had been released*

i *ne va jamais être oublié – will never be forgotten*

j *était contaminée – was contaminated*

2 Students read through their answers to activity 1 and identify past participle agreement and the noun it refers to. Students are asked to consider why there is sometimes no agreement.

Answers:

a *fermés – les réacteurs*

b *assurée — la sécurité*

c *organisée — une consultation*

e *causés — des cancers*

f *justifiée – cette politique*

g *menacée — notre indépendance*

h *libérés — des gaz*

j *contaminée — une région*

Because they refer to nouns which are masculine singular so the agreement doesn't show.

3 Using the passive, students translate the sentences into French.

Answers:

a *Une nouvelle campagne sera organisée.*

b *La presse était invitée à la journée porte-ouverte.*

c   *Ces problèmes ne sont pas connus.*

d   *Les dépliants n'avaient pas été distribués dans tous les quartiers de la ville.*

e   *Des posters seront créés et envoyés à tout le monde.*

f   *Des journalistes seront invités à écrire des articles sur notre projet.*

Avoiding the passive

Students are reminded that the passive is used less in French than in English. Ways to avoid the passive are listed.

4   Students rewrite the sentences to avoid using the passive.

Answers:

a   *Est-ce qu'on recycle assez de déchets?*

b   *On distribue trop de sacs en plastique à la caisse.*

c   *Qui construira des tas de compost?*

d   *On devrait ramasser toutes ces ordures.*

e   *Les élèves ont disposé des abris à bicyclette.*

f   *Les enfants ont jeté tous les papiers par terre.*

Compétences

pages 22–23

Planner

Resources

♦ Students' Book pages 22–23
♦ Copymaster 10

Getting the right tense

Students are reminded about the importance of getting the tense right when translating into French, especially when referring to the past. Students are given a quick recap on when to use the perfect, the imperfect and the pluperfect.

1a   Students read the sentences in activity 1b and decide which tense they would need to use for each English verb.

Answers:

a   *conditional*

b   *perfect*

c   *imperfect*

d   *future*

e   *present*

f   *conditional perfect*

g   *pluperfect/conditional*

h   *future perfect*

1b   Using their answers to activity 1a, students translate the sentences into French.

Answers:

a   *Que feriez-vous?/Que ferais-tu?*

b   *Qu'est-ce qu'elle a fait?*

c   *Que faisaient-ils?*

d   *Que ferons-nous après?*

e   *Ils ne recyclent pas beaucoup.*

f   *Nous aurions dû recycler toutes les bouteilles.*

g   *Si je n'avais pas tant acheté, j'aurais moins d'emballages.*

h   *Après le week-end, il aura jeté toutes les ordures.*

2a   Students read the sentences and select the correct verb in each case.

Answers:

a   *ne recyclait pas/était*

b   *as éteint*

c   *était/avions oublié*

d   *ont enfin réussi*

e   *avez installé*

2b   Students translate the sentences into French.

Answers:

a   *Les étudiants de Besançon ont organisé plusieurs campagnes.*

b   *Beaucoup de gens n'utilisaient pas leurs bennes à recyclage, donc le groupe a fait davantage de publicité.*

c   *Les étudiants n'avaient pas recyclé leurs ordures, mais maintenant ils comprenaient pourquoi c'était important.*

d   *Ils ont choisi un nouveau slogan et ont décidé de continuer la campagne.*

e   *Ils voulaient changer le monde par petites étapes.*

3   Student translate the sentences into French. As the sentences are fairly informal, ask them to use the 2nd person singular.

Answers:

a   *Iras-tu à Paris si tu obtiens une place à l'université?*

b   *Que feras-tu si tu ne peux pas trouver de logement?*

c   *Tu devras parler français quand tu habiteras là-bas!*

d   *Et quand tu reviendras, ce sera bizarre de parler anglais.*

Depuis

Students are reminded about the different meanings of *depuis* when translating text.

4   Students translate sentences into French using *depuis*.

Answers:

a   *Nous parlons du développement durable depuis des années.*

b *Ils distribuaient des dépliants depuis six semaines.*

c *Depuis combien de temps vous intéressez-vous à l'écologie?*

The subjunctive

Students are reminded that the subjunctive is a mood rather than a tense.

5a Students identify which of the sentences would require the subjunctive when translated into French and are asked to explain why.

Answers:

a *(after a verb expressing doubt),*

d *(after à condition que),*

e *(after 'I fear that'),*

g *(after 'although')*

5b Using their answers to activity 5a, students translate the four sentences into French.

Answers:

a *Je ne crois pas que les énergies renouvelables puissent résoudre tous nos problèmes.*

d *Il y aura assez d'énergie à condition que nous faisions des recherches sur toutes les possibilités.*

e *J'ai peur que nous n'ayons pas encore appris à vivre de façon écologique.*

g *Nous devrions voyager moins, bien qu'il soit intéressant de voir le monde.*

C10

Additional translation practice is provided by Copymaster 10.

Au choix

page 24

Planner

Resources

♦ Students' Book page 24
♦ CD 1 track 12

---

1 Students listen to the texts about environmental activism and answer the questions.

Answers:

1a *On veut sensibiliser l'opinion sur la déforestation.*

1b *Plus de la moitié des forêts tropicales (1) ont été détruites. (1)*

1c (2 for any 2 of the 3 reasons given)
Les forêts abattues (1) ne se reforment pas (1) à cause de la pauvreté des sols, l'érosion et l'arrêt des pluies

2a *Comme une colossale industrie mondiale.*

2b *Cette exploitation modifie l'équilibre naturel (1) des écosystèmes marins. (1)*

2c *Ils veulent que la gestion de la pêche (1) soit responsable sur le plan écologique. (1)*

CD 1 track 12   **p. 24, activité 1**

Une journée d'action aujourd'hui dans des centaines de nos établissements scolaires. Le but? Sensibiliser l'opinion sur la déforestation. A l'heure actuelle, plus de la moitié des forêts tropicales, que l'on trouve en Amérique Latine, en Afrique et en Asie, ont été détruites. Ce phénomène est d'autant plus alarmant que ces forêts ne pourront plus se reformer à cause de la pauvreté des sols, de l'érosion et de l'arrêt des pluies. En effet, une fois les arbres abattus, la forêt est condamnée à devenir un désert.

Saviez-vous que notre planète est à 70% recouverte de mers et d'océans? Depuis toujours, l'homme a exploité les ressources marines, mais cette tradition s'est malheureusement transformée en une colossale industrie mondiale, capable de modifier radicalement l'équilibre naturel des écosystèmes marins. Voilà pourquoi Greenpeace a lancé une nouvelle campagne contre la surexploitation de nos stocks de poissons. L'organisation se bat pour que les nations adoptent des systèmes de gestion de pêche qui soient responsables sur le plan écologique.

2a Students skim the texts A-D and come up with an alternative title for each one.

2b Students reread texts A-D and translate the sentences into French.

Answers:

a *Afficher un autocollant sur son pare-brise, est-ce que cela incite les autres conducteurs à protéger l'environnement?*

b *Le système de covoiturage encourage les conducteurs à partager leur voiture et à prendre un passager qui va au même endroit.*

c *Cela aide dans la lutte contre la pollution et permet aux gens de se rapprocher de leurs voisins.*

d *Si on vous permet de conduire votre voiture seulement les jours pairs ou impairs, cela réduira les problèmes de circulation dans les agglomérations.*

e *Les journées sans voitures, on devrait laisser sa voiture au garage et utiliser les transports en commun.*

f *Cette nouvelle habitude réduira la pollution atmosphérique et les autres inconvénients des voitures.*

3 Students form ecological action groups and carry out the tasks at the bottom of the page.

Révisions Unités 1–2

pages 25–26

Planner

Resources

♦ Students' Book pages 25–26
♦ CD 1 track 13

---

1 Students read the interview about an ecological commune and complete the sentences in their own words.

Possible answers:

a ... *le bois, la pierre, les briques naturelles et une couverture herbeuse sur les toits.*

b ... *d'en consommer/utiliser le moins possible.*

c ... *la possibilité d'économiser l'eau et la production d'un engrais pour le jardin.*

d ... *cinq groupes d'habitations et une maison communautaire.*

e ... *délibéré et voté.*

f ... *les voyages en voiture et des grandes quantités d'emballages dans les ordures.*

g ... *respecter ses voisins (ou apprendre l'esprit communautaire/la tolérance)/être pionnier en écologie.*

 2a Four speakers give their views about an ecological commune. Students decide who is in favour of the concept and who has reservations about it.

Answers:

Cédric	*pour*	*il aime l'ambiance et le décor naturel*
Louise	*contre*	*elle trouve que c'est laid, l'étang est trop petit, les enfants jouent partout sans surveillance*
Juliette	*pour*	*les enfants peuvent s'amuser seuls en sécurité, le lotissement est plein de vie*
Sébastien	*contre*	*le lotissement ressemble à un parking, il manque des panneaux solaires et une éolienne*

CD 1 track 13   **p. 25, activités 2a et 2b**

1 Cédric
Oui, c'est pas mal du tout. Il y a une sorte de vision commune qui crée une atmosphère particulière. Le décor est plus naturel et plus chaleureux avec le bois et la terre qui remplacent le ciment et le béton. Je trouve que les couleurs et les lignes sont plus douces.

2 Louise
Si vous voulez franchement savoir ce que j'en pense, je trouve ce lotissement assez laid. D'abord cette herbe sur les toits, ça fait village à l'abandon. Puis le soi-disant étang, il est trop petit. Et puis les enfants qui jouent partout sans surveillance, ah non, je n'y vivrais pas.

3 Juliette
En tant que mère de famille, je suis vraiment emballée à l'idée de pouvoir laisser mes enfants s'amuser seuls, sans me faire de soucis. Dans ce lotissement, on voit plus de vie tout autour des maisons, avec les enfants qui jouent en sécurité, les arbres, moins de voitures.

4 Sébastien
Si l'on discute de ce projet d'un point de vue purement écologique, il reste encore bien des améliorations à apporter. Il manque des panneaux solaires et une éolienne. D'autre part, ils garent leurs voitures près des habitations et cela ressemble encore trop à un parking.

 2b Students listen to the audio again and write down the French expressions.

Answers:

a *C'est/Ce n'est pas mal du tout.*

b *Si vous voulez vraiment savoir ce que j'en pense ...*

c *Je suis vraiment emballée à l'idée de ...*

d *Si l'on discute de ce projet d'un point de vue purement écologique ...*

e *Il reste encore bien des améliorations à apporter ...*

3a Students read the poster about ecological measures and compare with a partner how many things they do.

3b In pairs, students discuss the poster and talk about who does or doesn't do what, why (not) and what they are going to do in future.

4 Students write a report to describe what they learnt during an ecological action day and what changes they personally are going to make.

Unité 3 France, terre d'asile?

Unit objectives

By the end of this unit students will be able to:

♦ Talk about the history and evolution of
immigration in France

♦ Discuss the issues relating to immigration

♦ Talk about everyday racism

Grammar

By the end of this unit students will be able to:

♦ Use the present subjunctive

♦ Use the perfect subjunctive

Skills

By the end of this unit students will be able to:

♦ Prepare an oral presentation

Resources

♦ Students' Book page 27

♦ CD 1 track 14

page 27

1a By means of an introduction to the topic of
immigration, students read the extracts and match
them to a photo and explain their answers.

Answers:
1*B*   **2***D*   **3***F*   **4***E*   **5***C*   **6***A*

1b Students are asked for their opinion on the
grafffiti.

 1c Students listen to a radio interview about
immigration and check their answers to activity 1b.

CD 1 track 14　　　　　　**p. 27, activité 1c**

- Voici une nouvelle émission de Tabous.
Aujourd'hui, nous allons parler de l'immigration.
Notre invitée est Danielle Lamblat, chercheuse à
l'INED, l'institut national d'études démographiques.
Bonjour, Danielle.

- Bonjour.

- Alors, nous avons certaines conceptions de
l'immigration. Lesquelles sont vraies, lesquelles
sont fausses. Alors, numéro 1: "Les immigrés ne
prennent pas les emplois des Français." Vrai ou
faux?

- Faux: le chômage affecte les immigrés deux fois
plus que les Français d'origine, parce que les
immigrés sont dans des emplois très vulnérables et
très souvent sous-payés, donc des postes dont les
Français ne veulent pas.

- Numéro 2: "La majorité des crimes sont commis
par des immigrés qui contribuent à l'insécurité."
C'est vrai ou faux?

- C'est vrai et faux! C'est vrai que les immigrés sont
plus souvent arrêtés pour des délits mineurs (en
général en rapport à leur titre de séjour) mais c'est
faux qu'ils contribuent à l'insécurité: ils sont moins
souvent condamnés pour des crimes graves.

- Numéro 3: Les enfants d'immigrés réussissent mieux
dans leur scolarité que les Français de souche de
même niveau social. Vrai ou faux?

- Vrai! Ils réussissent mieux que les Français d'origine
mais attention, de la même catégorie
socioprofessionnelle. Par rapport à la moyenne
nationale, ils réussissent moins bien. Ceci est dû au
fait qu'ils appartiennent généralement à un milieu
social défavorisé.

- Numéro 4: "Les jeunes issus de l'immigration ne
respectent pas le mode de vie et la culture de la
France. Ce sont eux qui ne s'intègrent pas."

- Faux! 71% des jeunes issus de l'immigration
déclarent préférer le mode de vie des Français à celui
de leurs parents. Seulement 20% préfèrent le mode
de vie traditionnel de leur pays d'origine.

- Numéro 5: "Les immigrés sont des assistés sociaux,
on les loge et ils coûtent cher à la société."

- C'est faux! Les immigrés paient des cotisations
sociales comme les Français d'origine. Moins d'un
tiers ont une aide au logement. On leur paie des
allocations familiales, mais on leur paie moins de
retraite.

- Numéro 6 «La France accepte toute la misère du
monde et tous les réfugiés qui demandent asile."

- C'est faux. La France accorde de moins en moins le
statut de réfugiés. La France n'est qu'au 4ème rang
mondial en matière d'asile, derrière les Etats-Unis,
l'Allemagne et la Grande-Bretagne.

- Très intéressant, merci Danielle. Et ceci termine
notre émission d'aujourd'hui ...

Histoires d'étrangers

pages 28–29

Planner

Grammar focus

♦ The perfect tense

Skills focus
♦ Discussing French immigration policy

Key language
♦ *des quotas, la crise économique, des réfugiés politiques, une reprise économique, le regroupement familial, les boucs émissaires, les demandeurs d'asile, les sans-papiers, l'immigration clandestine, les immigrés, l'immigration, terre d'accueil, demandeur d'asile*

Resources
♦ Students' Book pages 28–29
♦ CD 1 tracks 15–16
♦ Grammar Workbook page 38
♦ Copymasters 11 and 12

The article on page 28 introduces the big picture and provides the historical background of immigration in France.

Activities help pinpoint the main vocabulary associated with immigration, and some of the general ideas related to the topic.

1 Students read the first paragraph of the article on page 28 and match words in the article to the definitions.

Answers:

a *terre d'accueil*

b *étranger*

c *migration*

d *main–d'œuvre*

e *ouvriers*

f *droit du sol*

g *immigrés*

h *marginalisés*

i *xénophobie*

2 Students reread the article. They look up the words and phrases listed and write a definition of each one in French.

3 Students read the article and put the sentences in order according to the paragraph they relate to.

Answers:

d, b, e, a, c

4 Students reread the article and answer the questions.

Answers:

a *Les immigrés n'étaient pas considérés comme des « étrangers ».*

b *On les jugeait plus facilement « intégrables ».*

c *Parce que c'était la main-d' œuvre idéale: docile, flexible, bon marché et (on l'espérait) provisoire.*

d *La xénophobie s'est exacerbée, les immigrés sont devenus les boucs émissaires des problèmes de la société.*

e *l'intégration, l'exclusion, la discrimination, le racisme, le chômage croissant et les mauvaises conditions de vie*

f *« l'immigration choisie » – la venue de personnes hautement qualifiées etcetera – ainsi que des quotas par profession*

5a Students listen to two people discussing the immigration policies of the Sarkozy government and make notes based on four given topic areas.

CD 1 track 15   **p. 29, activité 5a**

- C'est quoi, l'immigration jetable?

- Eh bien, c'est quand on laisse des gens venir travailler dans notre pays quand on a besoin d'eux, mais qu'on les jette quand on n'a plus besoin d'eux…c'est quand on ne traite pas les immigrés comme des êtres humains.

- Et c'est ce qui se passe maintenant?

- Oui. Nous nous battons contre les nouvelles lois sur l'immigration votées par le gouvernement de Nicolas Sarkozy.

- Expliquez-nous …

- Bon ben d'abord, la loi rend plus difficile le regroupement familial. C'est de plus en plus difficile pour un étranger qui travaille en France de faire venir sa famille: il faut qu'il ait plus d'argent qu'avant et que sa famille sache parler français. Dans certains cas, les familles devront même faire des tests ADN pour prouver leurs liens de parenté.

- D'accord je vois… et cela affecte aussi les mariages mixtes?

- Tout à fait. La loi rend plus difficiles les mariages entre Français et étrangers. Avant qu'un étranger puisse se marier à un Français, ils doivent vivre trois ans ensemble et le conjoint doit savoir parler français.

- D'accord… et qu'en est-il du droit d'asile, alors?

- Eh bien, obtenir le droit d'asile en tant que réfugié est de plus en plus difficile. La loi rend aussi plus difficile l'obtention de titre de séjour pour les immigrés "sans papiers" qui veulent régulariser leur situation. Ils risquent en fait de se faire expulser, puisque la loi encourage les expulsions et les déportations.

- Alors, qui peut venir en France?

- Alors, la loi encourage l'immigration de personnes choisies selon les besoins de l'économie de la France. On a introduit des quotas professionnels et des listes de métiers dont la France a besoin. On favorise aussi l'immigration de certains étrangers, comme les artistes, les intellectuels, les sportifs de haut niveau, les créateurs d'emplois, choisis pour leurs talents et

---

leurs compétences. Et puis on encourage certains étudiants de haut niveau à venir étudier en France, dans des secteurs universitaires où la France manque d'étudiants. On leur promet l'obtention d'un permis de travail à la fin de leurs études.

- Et vous êtes contre tout ça?

- Nous sommes contre les mesures qui ne respectent pas les droits de l'homme… et certaines des mesures du gouvernement Sarkozy ne respectent pas les droits de l'homme, voilà.

- Eh bien, merci beaucoup.

5b Students use their notes from activity 5a and discuss whether the traditional role of France as a country that welcomes immigrants has changed.

6a Students listen to the newsflash about the suicide of a young refugee and take notes.

CD 1 track 16   **p. 29, activité 6a**

Vendredi 15 février 2008, un jeune Kenyan de 19 ans, John Maïna, s'est suicidé juste après avoir appris que le droit d'asile et le titre de séjour en France lui avaient été définitivement refusés.

Il a préféré se donner la mort plutôt que d'être expulsé et renvoyé au Kenya, son pays d'origine où il craignait une mort horrible.

Une marche silencieuse a rassemblé plusieurs centaines de personnes au cœur du 18ème arrondissement de Paris en mémoire de John, arrivé en France en avril 2006, accompagné de l'association France Terre d'Asile, quand il a demandé le droit d'asile…

6b Students write how the incident described in activity 6a is linked to French immigration policy.

For more background information on the story of John Maïna, students can be referred to the following video report:

http://entre2eaux.hautetfort.com/archive/2008/02/25/hommage-a-john-maina.html

---

C11

Additional reading practice on this topic is provided by Copymaster 11.

C12

Additional listening practice on this topic is provided by Copymaster 12.

Intégration, oui, mais …

pages 30–31

Planner

Grammar focus

♦ The subjunctive (present and perfect)

Skills focus

♦ Expressing viewpoint

Key language

♦ *la discrimination raciale, l'intégration, combattre, les préjugés*

♦ *Il me semble que…, Je (ne) comprends (pas) que…, Ça (ne) m'étonne (pas) que… Je (ne) doute (pas) que… Je (ne) pense/crois (pas) que…*

Resources

♦ Students' Book pages 30–31
♦ CD 1 track 17
♦ Grammar Workbook page 62
♦ Copymaster 13

This spread deals with opposing views about the integration of second-generation immigrants into French society.

1a In order to help students build up a picture of the issues associated with integration, students are asked to read the interview and choose the correct sentence to summarise each paragraph.

Answers:
a *4*   **b** *2*   **c** *1*   **d** *3*

1b In pairs, students discuss one of the points in activity 1a and present it to the class.

2a Students reread the interview and look for synonyms in the text for the words listed. They also are asked to identify the subjunctive verb form.

Answers:
a   *C'est naturel que*
b   *ce n'est pas étonnant que*
c   *bien que*
d   *à moins que*
e   *Ce n'est pas certain que*
f   *Je ne veux pas que*
g   *pour que*
h   *J'aimerais bien que*

They are all followed by a verb in the subjunctive.

2b Students write down another five examples of the subjunctive from the interview.

Answers:

parag. 2: *il faut qu'il sache/Je ne pense pas qu'il faille*

parag. 3: *bien que la France soit…/quelle que soit son origine*

parag. 4: *jusqu'à ce que les mentalités évoluent*

3a Students listen to the interview with a young Algerian woman living in France. They write down the interviewer's questions and make notes for each of the interviewee's answers.

CD 1 track 17   **p. 31, activité 3a**

- Bonjour Malika, tu es algérienne et tu as quitté l'Algérie pour venir vivre en France quand tu avais quatre ans, c'est ça?

- Oui, j'ai quitté l'Algérie quand ma mère est venue rejoindre mon père grâce au regroupement familial. Mon père habitait déjà en France. Il travaillait dans une usine depuis plus de 10 ans.

- Est-ce que ton installation en France a été facile?

- Oui. J'ai très vite appris à parler le français bien que j'aie continué à parler arabe avec mes parents. Ma mère ne parlait pas du tout le français! Je ne regrette pas qu'ils m'aient toujours parlé en arabe parce que je suis bilingue … mais j'ai toujours eu un peu honte que ma mère n'ait pas appris à parler français! Elle est nulle en français!

- Tu as gardé des liens avec l'Algérie?

- Bof, pas vraiment. Je ne me souviens plus très bien de ma vie là-bas. Et bien que j'y sois allée plusieurs fois et que j'y aie encore de la famille, je me sens vraiment étrangère là-bas. Ma famille de là-bas me considère comme une Française pas comme une Algérienne. Il faut dire que je préfère la France et la culture française, surtout vis-à-vis des femmes. Je respecte la culture de ma famille mais elle ne m'intéresse pas. Moi, je voudrais obtenir la nationalité française.

- Que penses-tu de la France?

- C'est le pays où j'ai grandi, où j'ai fait mon éducation et dont j'ai complètement absorbé la culture. C'est mon pays, tout simplement!

- Tu te sens victime de discrimination?

- Des fois oui – on ne me donne pas toujours un entretien pour un petit boulot à cause de mon nom, de ma nationalité ou bien de la banlieue où j'habite - qui est supposée être une banlieue difficile où vivent les immigrés. Les préjugés, c'est nul, mais c'est comme ça, ça existera toujours et on n'y peut rien. En général, je ne dis

---

pas que je parle arabe et j'essaie de cacher le fait que je sois née en Algérie. Je pense que les choses seront plus faciles pour moi quand je serai officiellement française… enfin, j'espère!

- Merci pour ce témoignage, Malika.

3b Students read the sentences relating to the audio and decide whether they are true or false. They correct any false sentences.

Answers:

vrai: *a, c, d*

faux: *b Elle ne regrette pas que ses parents lui aient toujours parlé en arabe. e Elle ne pense pas que combattre les préjugés soit nécessaire. f Elle pense que sa naturalisation peut réduire la discrimination à son égard.*

3c In pairs, students use their notes from activities 3a and 3b and the interview questions on page 30 to conduct an interview with Malika.

4 Students are asked to use expressions with the subjunctive to write their views on the attitudes of the two young people towards integration and discrimination.

Grammaire

The subjunctive

Students are reminded of the three uses of the subjunctive.

A Students read the grammar explanation and match the sentences to each type.

Answers:
1 *B*   2 *C*   3 *A*

B Students refer back to the interview on page 30 and note down an example of each type of subjunctive.

Answers:
A *c'est naturel que, ce n'est pas non plus étonnant que, Je ne pense pas que*
B *il faut que, je ne veux pas que, j'aimerais bien que*
C *bien que, à moins que, quelle que, pour que, jusqu'à ce que*

Students are introduced to the perfect subjunctive.

C Students identify examples of the perfect subjunctive in the sentences a-f, activity 3b.

Answers:

bien qu'elle ait continué; elle regrette que ses parents lui aient toujours parlé; elle a honte que sa mère n'ait pas appris; bien qu'elle y soit allée

Le saviez-vous?

Some background facts and figures relating to immigration in France.

C13

Additional listening practice on this topic is provided by Copymaster 13.

La vie en noir

pages 32–33

Planner

Grammar focus

♦ The subjunctive

Skills focus

♦ Discussing racism

Key language

♦ *raciste, le racisme, lutter, au quotidien, aggraver, les modèles d'intégration, issu(e) de l'immigration, les immigrés*

Resources

♦ Students' Book pages 32–33
♦ CD 1 tracks 18–19
♦ Grammar Workbook page 62

1a Students read the article and give their reaction to it.

1b Students are asked to work out the meaning of the last sentence in the article.

Possible answer:
to maintain certain professions

2a Students read and listen to the interview on page 32 and answer the question.

CD 1 track 18   p. 33, activité 2a

Mohamed Idrissi, 20 ans, étudiant à Paris

Le racisme en France? Je dirais que c'est pire depuis le 11 septembre et les émeutes de 2005. Je sens la méfiance des gens au quotidien. On ne me laisse pas oublier mes origines arabes, ma peau foncée et mon nom musulman.

Dans le métro, certains évitent de s'asseoir à côté de moi. On ne sait jamais, je pourrais être un terroriste! Dans la rue: contrôle d'identité. Je viens du neuf-trois: c'est assez pour être suspect pour la

---

police. Dans les magasins, on me surveille d'un regard méchant. A la fac, on n'est pas vraiment nombreux, nous les jeunes "issus de l'immigration" comme on dit. On préférerait nous voir vider les poubelles!

Quant à trouver un boulot ou un appart, quelle galère! Dès que je donne mon nom et mon adresse, l'attitude change. On me dit non, qu'en fait, le job (ou l'appart) vient d'être pris. En boîte, on me fait aussi sentir ma différence. Certains peuvent rentrer (les "habitués"), d'autres non (noirs ou arabes pour la plupart). Jeune, d'origine arabe, oh là là, difficile de faire pire! A la télé, là, on voit des jeunes d'origine arabe: ce sont les méchants dans les films ou les émeutiers dans les documentaires sur la violence dans les "quartiers". Que dire? Que faire? La tentation de devenir violent est forte par moments, je dois bien l'avouer! Mais bon, du calme.

Il y a quelques stars que les Français aiment bien, comme Djamel Debbouze, Gad Elmaleh, Zinédine Zidane, Thierry Henry et quelques autres, des Arabes ou des Noirs qu'on présente comme des modèles d'intégration… mais les gens comme moi, les inconnus des banlieues? Coupables d'office, condamnés sans jugement et pourquoi? Pour délit de faciès.

Answer:
Mohamed mentions all problems listed

2b In pairs, students discuss the interview quoting examples from it.

3 Students reread the interview and answer the questions.

Possible answers:

a *Ils sentent de plus en plus la méfiance des gens au quotidien.*

b *Ce sont des stars arabes et noirs.*

c *Parce qu'ils ont connu du succès en France.*

d *Soit ils sont les méchants dans les films, soit ils sont les émeutiers dans les documentaires.*

e *C'est le fait que l'on est condamné simplement à cause de son apparence.*

4 Students use the two texts on page 32 to discuss how immigrants and their children are viewed in France.

5a Students listen to the interview about an anti-racist association and answer the questions.

CD 1 track 19   p. 33, activités 5a et 5b

– Philippe, tu es membre d'une association antiraciste, toi? Laquelle?

– Je suis membre du MRAP, c'est-à-dire le Mouvement contre le Racisme et pour l'Amitié entre les Peuples.

– C'est bien beau, tout ça, mais c'est un peu théorique, non?

– Non, justement, au MRAP on lutte de façon très concrète contre le racisme de tous les jours, sur le terrain, dans les quartiers, dans les écoles et les collèges, dans les entreprises, dans les bureaux, enfin bref, partout là où il y a des victimes du racisme quotidien, des gens qui ont besoin de parler et d'être écoutés. C'est ce qu'on appelle un antiracisme de proximité.

– Mais vous faites bien aussi des campagnes plus générales, non?

– Oui, dans les campagnes nationales, on essaie de montrer aux gens que les idées racistes et les idées toutes faites qui mènent au racisme sont complètement irrationnelles.

– Et comment vous faites ça?

– Eh bien, on fait des campagnes pour lutter contre les arguments du Front National par exemple, contre leur chauvinisme, contre leur haine de l'étranger, contre leur désir d'instaurer l'inégalité devant l'emploi, devant l'impôt, tout ça ... Bref, contre l'intolérance et la bêtise, quoi.

– C'est quoi, au juste, le but du MRAP?

– Le but du MRAP, c'est de promouvoir la tolérance et la compréhension mutuelle. On vit dans une société plurielle, multiculturelle, et ça devrait être une source d'enrichissement, pas de tension et de haine comme c'est malheureusement souvent le cas. Alors nous, on essaie de convaincre les gens de ça.

– Comment vous faites pour convaincre les gens? ... il faut changer les mentalités ...

– Oui, c'est ça, on essaie de changer les mentalités! Beaucoup de gens sont racistes par ignorance et par peur. Plus on connaît les gens, moins on a peur ... C'est pour ça qu'on essaie de faire mieux connaître les gens qui sont souvent détestés comme les Arabes ou les Juifs et tous les immigrés quelles que soient leurs origines.

– Comment vous faites?

– On organise des débats, des conférences, des projections de films, des rencontres dans les écoles et puis on fait des fêtes, parce que c'est quand on s'amuse qu'on apprend le mieux!

– Et là, en ce moment, tu participes à quelle campagne alors?

– Là, on fait une campagne pour que les jeunes Français issus de l'immigration bénéficient des mêmes droits que les autres. Certains n'ont pas le droit de vote ... c'est incroyable, non? Alors, nous, on se bat pour que les immigrés obtiennent ce droit de vote, voilà.

– Ben, super, hein, moi je t'admire ...

– Ben, admire-moi si tu veux et viens avec moi!! On a besoin de gens!

Answers:

1 *Mouvement contre le Racisme et pour l'Amitié entre les Peuples.*

2 *La lutte contre le racisme de tous les jours, sur le terrain, partout où il y a des victimes du racisme.*

3 *Il essaie de montrer aux gens que les idées racistes sont complètement irrationnelles.*

4 *Leur chauvinisme, leur haine de l'étranger et leur désir d'instaurer l'inégalité devant l'emploi et l'impôt, etc.*

 5b Students listen to the interview again and take notes on given topics.

6a Students read the extracts taken from Tahar Ben Jelloun's book "Le racisme expliqué a ma fille" and explain each point raised and add their own opinions.

6b Students complete the sentences with the subjunctive of the verb in brackets and link each sentence with the paragraph that it summarises.

Answers:

a *aille, 3* **b** *apprenne, 1 battent/punissent/fassent, 2*

7 Students get into groups and found an anti-racist association. They decide upon a name, slogan, etc. and present their association to the class.

8 Students work in pairs to discuss the issues of immigration and racism in their country. Pairs write a report (250-300 words) that they then present orally to the class.

At this point, students are referred to the Compétences on page 35, which cover how to plan and deliver an oral presentation.

Zoom examen

pages 34–35

Planner

Grammar focus

♦ The present subjunctive

Resources

♦ Students' Book pages 34–35

The subjunctive (2)

Students are reminded when to use the subjunctive, how the present subjunctive is formed and irregular verb forms.

1 Students read the text and identify the eight subjunctives. They should explain their choices.

Answers:

sois (after « bien que »), puisse (after a negative, « je ne pense pas que »), il y ait (expressing doubt), soit (after the phrase « il semblerait que »), on n'y puisse rien (after the phrase « il semblerait que »), vive (expressing a preference, « Je préférais que »), doive (expressing regret, « Je regrette que ») , soit (after a negative, « ne croyez-vous pas que »)

2 Students read the text and decide whether the subjunctive is the correct verb to use in each case.

Answers:

qu'il soit préférable, pour qu'on puisse, est nécessaire, pour qu'on apprenne, c'est sans doute, qu'on a

Students are reminded how to form the perfect subjunctive.

3 Students practise the perfect subjunctive by completing the sentences.

Answers:

a *aient voté*

b *soit allé*

c *soient partis*

d *ait adopté*

e *se soit présentée*

f *se soit suicidé*

4 Students translate the sentences provided, using the subjunctive each time.

Answers:

a *Il est difficile de croire qu'on puisse toujours avoir autant de préjugés dans la société actuelle.*

b *Le MRAP luttera jusqu'à ce que les immigrés aient le droit de vote.*

c *Qu'ils soient noirs ou blancs ne devrait avoir aucune importance.*

d *Je veux que mes enfants vivent dans une société plus tolérante et plus ouverte.*

Compétences

page 35

Planner
Resources
♦ Students' Book page 35
♦ Copymaster 15

Students are given guidelines on how best to prepare and deliver an oral presentation.

1 Students select one of the topics and give a short oral presentation on it.

C15
Additional practice of oral presentations is provided by Copymaster 15.

Au choix

page 36

Planner
Resources
♦ Students' Book page 36
♦ CD 1 track 20
♦ Copymaster 14

 1 Students listen to the interview and answer the questions.

Possible answers:

a *C'est un quartier très pauvre de Paris. Beaucoup d'immigrants y vivent, dont la majorité ne parlent pas français et vivent dans une situation précaire.*

b *L'objectif, c'est d'encourager l'intégration de ces immigrés en utilisant la musique.*

c *C'est un moyen de communication universel.*

d *Il faut transmettre son histoire et ses traditions aux enfants. Cela permettre à la société d'être plus ouverte, plus dynamique, plus curieuse et plus tolérante.*

CD 1 track 20	**p. 36, activité 1**
– Bonjour. Aujourd'hui, nous parlons à Pierre. Pierre, vous allez nous parler d'Enfance et Musique. C'est une association qui s'occupe de faire connaître et de partager la musique avec les enfants, surtout les tout petits enfants.	
– C'est ça.	
– Et vous allez nous parler plus particulièrement de l'action d'Enfance et Musique à la Goutte d'Or.	
– Oui, c'est ça.	
– D'abord, expliquez-nous ce qu'est la Goutte d'Or.	
– La Goutte d'Or, c'est un quartier très pauvre de Paris bâti sur une mosaïque multiculturelle: beaucoup d'immigrants viennent s'y installer, dont	

la majorité ne parlent pas français et vivent dans une situation très précaire …

– Quelle est donc l'action d'Enfance et Musique dans ce quartier de la Goutte d'Or?

– Enfance et Musique veut encourager l'intégration de ces immigrés en respectant et en valorisant leurs origines, leur culture et leurs traditions.

– Pourquoi particulièrement la musique?

– Eh bien, tout d'abord parce que la musique est importante pour tout le monde, quelle que soit la culture ou l'origine; c'est un moyen de communication universel, et comme beaucoup de familles de la Goutte d'Or ne parlent pas français, la musique devient un excellent moyen de communication.

– Elle permet des conversations sonores, en quelque sorte.

– Oui, c'est ça, exactement. Malheureusement, beaucoup d'immigrés pensent que pour s'intégrer, pour être acceptés dans la société française, ils doivent oublier leurs origines, oublier leurs musiques et leurs chansons traditionnelles.

– C'est le cas?

– Mais non, pas du tout et c'est ça qu'Enfance et Musique tente de prouver. Une mère africaine nous a dit: «Si nous ne chantons pas, si nous ne racontons pas les histoires de chez nous, nous oublierons toute notre culture et nous ne pourrons plus rien transmettre à nos enfants.» Et elle a entièrement raison: il faut transmettre son histoire et sa tradition aux enfants. Cela permet aux enfants de se bâtir une identité plus équilibrée. Cela permet aussi à la société d'être plus ouverte, plus dynamique, plus curieuse et plus tolérante.

– Enfance et Musique a produit ce CD extraordinaire d'une vingtaine de chansons enfantines, chantées par les mamans en dix-sept langues différentes!

– Oui. C'était le rêve d'Enfance et Musique, une œuvre musicale vraiment multiculturelle!

– Eh bien, merci, Pierre, pour ce passionnant témoignage.

– Je vous en prie.

2 Students prepare and talk about one of the given subjects for two minutes.

3 Students read the extract from the fable and answer the questions.

Answers:

a *du départ du dernier immigré nord-africain de la France.*

b *il parle des « odeurs de cuisine trop épicée », « des hordes de gens aux coutumes étranges », et cetera.*

c *que les immigrés sont une partie essentielle de la vie française.*

4 Students choose one of the topics (relating to racism and immigration) and write approximately 350 words on it.

Students can consult the following websites for useful and in-depth information on immigration:

http://www.patrick-weil.com/

Associations with useful material + videos:

www.cimade.org
www.france-terre-asile.org
www.contreimmigrationjetable.org
www.mrap.fr
www.sos-racisme.org
Musée de l'immigration
comprehensive info + videos/audio of immigrants' testimonies
www.histoire-immigration.fr
http://questions-contemporaines.histoire-immigration.fr/accueil.html
very good videos on the history of immigration
http://www.histoire-immigration.fr/main.php?period=0&sous_sequence=0

A film related to the theme:
http://www.sos-racisme.org/?Nouvel-article,53

Good antiracist cult songs:

e.g Pierre Perret: Lily ; (on youtube)

Lois sur l'immigration
http://www.vie-publique.fr/actualite/dossier/controle-immigration/controle-immigration-vers-immigration-choisie.html

audio interview of P. Weil
http://quotidiensanspapiers.free.fr/w/spip.php?article831

Info on 2005 riots
http://ecjs.stlouis.stemarie.chez-alice.fr/banlieue.htm

C14

Additional practice of the skills covered in this unit is provided by Copymaster 14.

Unité 4 Les riches et les pauvres

Unit objectives

By the end of this unit students will be able to:

♦ Talk about poverty, unemployment and marginalisation in France

♦ Comment on poverty in the developing world

♦ Talk about global strategies to combat poverty

Grammar

By the end of this unit students will be able to:

♦ Translate successfully from English into French, avoiding common pitfalls

Skills

By the end of this unit students will be able to:

♦ Express, justify and defend a point of view

Resources

♦ Students' Book page 37

page 37

1 This activity acts as an introduction to the unit, allowing students to brainstorm on the subject of poverty. Students reflect on the topic by selecting phrases from a list and stating whether the sentences apply to poverty in France, the Third World, or to both.

2 Students are invited to add their own ideas and opinions.

La pauvreté, même chez nous?

pages 38–39

Grammar focus

♦ Use of tenses

Skills focus

♦ Listening for gist and for key points

♦ Producing a written piece of work based on recorded material

♦ Listening for detail

♦ Reading for gist and isolating key phrases

♦ Constructing a summary

♦ Expressing opinion

Key language

♦ SDF, au chômage, chômeur, argent, logement, trouver un emploi, (demande de) RMI, nourrir

Resources

♦ Student's Book pages 38–39

♦ CD 2 track 1

♦ Grammar Workbook page 56

♦ Copymaster 16

1a In this activity students categorise, from a list of short phrases, those which are basic welfare needs and those which are luxuries.

1b This exercise helps students engage with the topic. It is suggested that they consider the things to which they attach importance in their own lives and put them into order of importance according to need. They may then wish to compare their ideas with a partner.

2 Students study a photo of a young underprivileged boy and decide what he is lacking from the list in 1a.

 3a Students firstly read a list of phrases about Michel's life. Then, as they listen to the recording, they state whether each phrase applies to his life now or before.

Answers:

a *maintenant*	**b** *maintenant*	**c** *avant*
d *avant*	**e** *avant*	**f** *avant*
g *maintenant*	**h** *maintenant*	**i** *maintenant*
j *maintenant*		

CD 2 track 1   **page 38, activité 3a**

Témoignage: Michel, enfant de l'errance.

Je m'appelle Michel Lanteau. J'ai douze ans. En ce moment, j'habite dans un immeuble de l'ancienne ZUP près de la zone industrielle de Veysin. J'dis, en ce moment, parce que j'sais pas combien de temps on va rester là. Maman, ça lui plaît pas du tout. Y'a beaucoup de disputes avec les voisins, et c'est vraiment pas calme! Mon grand frère, il s'est fait blesser dans une bagarre en bas du quartier.

Ah, c'est pas comme quand on vivait dans la caravane! On était entre nous et papa pouvait faire son travail de ferrailleur. Moi, je l'aidais des fois, à transporter des métaux sur la charette. J'allais pas souvent à l'école ... et puis, j'avais de temps en temps des copains tziganes quand on restait sur

---

les terrains de stationnement en hiver. On allait se balader dans les bois avec les chiens. Mais papa, lui, il voulait toujours partir parce qu'il avait besoin d'espace pour la ferraille. Une fois, il a loué un terrain mais ça n'a pas marché, on a été expulsés. Alors on est repartis trouver un coin ailleurs jusqu'à ce que les gendarmes nous repoussent encore. Tôt ou tard, hein, c'est toujours la même histoire.

Bon, ben maintenant, on est fixés dans un appart, quoi. Ce qui est bien, c'est qu'on a de l'eau mais on utilise pas souvent le chauffage parce qu'après le loyer, il ne reste pas grand-chose. Même maman, elle ne peut pas se permettre de s'acheter des lunettes. Je manque aussi l'école quand ça ne va pas. Personne ne me parle vraiment dans la classe, y'a beaucoup de bagarres. Alors maman, elle se fait du souci pour moi. Y'a une assistante sociale qui nous donne des vêtements et une autre femme qui vient pour calculer ce qu'on dépense. C'est très tendu quand elle passe à la maison.

Je ne sais pas si on va tenir où on est. Papa, il ne fait plus rien. Il rêve juste de repartir sur la route ... alors on verra bien.

3b This activity gives students the opportunity to practise using the imperfect tense. They write two paragraphs, one describing Michel's life before, and one his life now. An example is given to get them started.

3c Students listen to the recording again, listening for specific details in order to complete the sentences given.

Answers:

a *Michel habite dans un immeuble de l'ancienne ZUP, près de la zone industrielle de Veysin.*

b *Le logement ne plaît pas à sa mère à cause des disputes avec les voisins.*

c *Son frère s'est fait blesser dans une bagarre (en bas du quartier).*

d *C'est bien que l'appartement ait de l'eau.*

e *Mais ils n'ont pas les moyens de payer le chauffage.*

f *Sa mère a besoin de lunettes.*

g *Il n'aime pas tellement l'école parce que personne ne lui parle (vraiment) et qu'il y a beaucoup de bagarres.*

h *L'assistante sociale leur donne des vêtements.*

i *Son père rêve de repartir sur la route.*

3d In this written activity students compose a summary of Michel's experience in a caravan. They may use the language provided in the activity as a springboard from which to develop their own compositions.

4 This oral exercise combines several skills enabling students to practise using the past, present and future

tenses in spoken French. The activity could be done as a role play in pairs with student A playing the part of Michel and student B a social worker or classmate asking Michel questions about his life. Students are encouraged to draw upon the previous activities for content, yet expressing not just the facts, but Michel's opinions also.

5a In this activity, students begin by reading the text *La vie d'un SDF*. They are then advised to select, as a sub-title, an appropriate sentence from each paragraph. They then discuss their ideas with a partner and justify their choices. As this is an open-ended activity, it may be an idea to open up the discussion to the whole group.

5b This activity requires a closer reading of the text. Students are asked to name three factors which have caused Patrick's situation.

Answers:

1 *Une séparation*

2 *Le décès de son père*

3 *Le chômage*

5c This could be done as a written exercise or carried out orally in class. Students are asked to describe the vicious circle in which Patrick finds himself, using the language provided in the activity.

Answer: Students' own views

5d Students will need to study the text more closely for this exercise in order to answer detailed comprehension questions.

Answers:

a *En échange des mélodies qu'il joue et en mendiant.*

b *Il s'installe sur des cartons dans la rue.*

c *Il passe aux centres d'hébergement.*

d *Il est sur le point de faire sa demande de RMI.*

e *Dans un garage vide que la mairie lui laisse pendant six mois.*

f *Un réchaud à gaz et un matelas.*

g *En travaillant comme jardinier dans une coopérative de légumes biologiques.*

5e This is a language and translation focused exercise. Students reconstruct important sentences from the text, then translate them into English.

Answers:

1 *e at the end of one's benefit allowance*

2 *g overnight*

3 *h to warm his heart*

4 *b to receive something to feed himself / live on*

5 *c rolling himself up in a blanket*

6 *f cooped up like a useless / dumb animal*

7 *d apply for a minimum welfare payment (similar to Job Seekers' Allowance in the UK)*

8 *i to get himself back to health*

9 *a to get back on one's feet again*

6 In this activity it is suggested that students write a summary on the current situation regarding poverty in France. A brief writing frame is given to help students with the structure of their written work.

Before tackling this activity students may benefit from a group discussion of the causes of poverty such as family breakdown, unemployment and ill health, as well as looking at the vicious circle which affects many homeless people.

Students could refer to Michel (poor housing, lack of schooling, lack of acceptance from others) and to Patrick (begging, sleeping rough, loneliness, feeling it is degrading to accept others' charity) for ideas.

C16

Additional reading practice on poverty in France is provided by Copymaster 16.

Et dans le tiers-monde?

pages 40–41

Grammar focus

♦ Recognising negation

Skills focus

♦ Reading for gist and for detail
♦ Retrieving vocabulary from a text
♦ Discussing themes
♦ Listening for key phrases and expressions
♦ Listening for numbers and figures
♦ Factual writing

Key language

♦ *le sida, la malnutrition, l'eau potable, creuser un puits, puant, la prévention du sida, le taux de mortalité infantile, les égouts, pauvre, privé d'eau, surpeuplé, la tuberculose, le choléra, les épidémies*

Resources

♦ Students' Book pages 40–41
♦ CD 2 track 2
♦ Grammar Workbook page 68
♦ Copymaster 17

---

1 Students start this section with a brainstorm activity on the Third World. They make a list in groups, detailing what they believe we enjoy in the West that is often lacking in Third World countries. Sentence prompts are provided to help students compose their answers.

2a Before reading the article, it is suggested that students attempt to translate the title of the article '*le ventre de l'enfer*'.

Possible answer:
'The bowels of Hell'.

2b Students are invited to read the article for gist and to provide a suitable sub-title for each paragraph. As so many different possibilities are likely to be suggested, the natural outcome of this exercise would be a class discussion to agree on those most suitable.

2c Students are provided with a list of English words, for which they find the French from paragraph one of the article.

Answers:
a *éprouvé*   **b** *englouti*   **c** *inondations*
d *balayé*   **e** *raz de marée*   **f** *une maigre récolte*

2d Referring to paragraph two of the text, students are, again, required to consider meaning in order to offer translations for the vocabulary provided.

Answers:
a *drinking water*   **b** *to dig a well*
c *stinking*   **d** *sewage*

2e Students read paragraph three closely in order to answer the questions provided.

Answers:
a *Ils attendent de l'eau devant la pompe.*
b *Comme à latrines.*
c *Parce que les égouts débordent pendant la mousson.*
d *Elle est dégagée de petits feux de bouse sur lesquels on cuisine.*
e *Elle déchire les poumons et finit par tuer.*

2f After having read the final paragraph closely, students then decide which of the sentences given in the activity are true, and which are false. It is advised that students correct the false phrases to ensure their comprehension of the text.

Answers:
a *faux – Ce pays est surpeuplé.*
b *vrai*
c *vrai*
d *faux – Il n'y a ni médecin ni médicament.*

3 In this pairwork activity, students are encouraged to apply both the information and the vocabulary they have gathered from the text. Student A is being asked questions by student B on the themes listed in the activity.

 4a Students listen to the beginning of the report on the international convention on children's rights.

They then make a list of five of the basic needs that the speaker aims to ensure for every child.

Answers:

santé; alimentation; éducation; logement; approvisionnement en eau.

CD 2 track 2 page 41, activités 4 a–c

La Convention internationale sur les droits de l'enfant a été ratifiée en 1995 par 180 états des Nations Unies. Un des buts principaux de la Convention est de garantir à l'enfant ses besoins vitaux: santé, alimentation, éducation, logement, approvisionnement en eau.

Or on sait que le monde en voie de développement compte 1,3 milliard de personnes qui n'ont pas accès à l'eau potable et qu'un enfant sur trois est mal nourri. Si presque 10% des enfants meurent avant leur cinquième anniversaire, un nombre important de ces décès pourraient être évités par la vaccination.

La malnutrition, l'un des compagnons cruels de la pauvreté, prend des formes diverses et a de nombreuses causes. La pénurie de nourriture n'est pas toujours à incriminer. Pour que les enfants soient bien nourris, en plus d'une nourriture en quantité suffisante, il leur faut des soins médicaux appropriés et un entourage attentif. En outre, la malnutrition peut résulter de carences en micronutriments, qui menacent également la vie de milliers d'enfants. Le manque de vitamine A, de fer ou d'iode peut provoquer de graves troubles de santé comme la diminution de la résistance aux maladies et le retard mental.

Mais si les états faisant partie de la convention reconnaissent à tout enfant le droit de bénéficier d'une protection sociale, tous sont impuissants face à la progression de l'épidémie du sida. Ce nouveau fléau a déjà fait 400 000 jeunes victimes dans le monde en voie de développement. Mais sur les quelque 2 millions de dollars dépensés chaque année pour la prévention du sida, 10% seulement reviennent au Tiers-Monde, où se produisent cependant 85% des cas d'infection.

 4b In this activity students focus their listening skills on picking out key words and expressions. They put the list of subjects, given in the activity, into the order in which they occur in the recording.

Answers:

1 *c*   2 *b*   3 *f*   4 *e*   5 *a*   6 *d*

 4c Students listen to the whole recording again and write a sentence for each of the figures listed in the exercise. The activity allows students the opportunity to revise numbers and to practise recognising figures aurally, thus requiring close listening skills.

Answers:

a *180 états des Nations Unies ont ratifié la convention.*

b *1,3 milliard de personnes n'ont pas accès à l'eau potable.*

c *Presque 10% des enfants meurent avant leur cinquième anniversaire.*

d *Le nouveau fléau de l'épidémie du sida a déjà fait 400,000 jeunes victimes dans le monde en développement.*

e *2 millions de dollars sont dépensés chaque année pour la prévention du sida.*

f *Seulement 10% de cet argent revient au Tiers-Monde.*

g *Le Tiers-Monde produit 85% des cas d'infection.*

5 In this written activity, students compose a factual piece of writing (in the form of a report for the Telethon) about the problems facing people in the Third World.

C17

Copymaster 17 provides additional reading practice on third world poverty.

Une stratégie mondiale

pages 42–43

Planner

Grammar focus

♦ Adjectival agreement

Skills focus

♦ Talking about inequality

Key language

♦ *inégalité, commerce équitable, l'exploitation, des ressources naturelles, des œuvres caritatives, bénévole*

♦ *subvenir, agir, permettre*

Resources

♦ Students' Book pages 42–43
♦ CD 2 track 3
♦ Grammar Workbook page 8
♦ Copymaster 18

---

1 Students read and note down what they do to help disadvantaged people. They compare their answers with a partner.

2a Students read the poster and complete a text in summary, using either words from the poster, or words they think to be most suitable.

Possible answers:

1 *propose/vend*
2 *(one of:) arts de la table/objets de décoration/bijoux/produits bien-être/accessoires de mode*
3 *produits*
4 *fabriqués*
5 *juste*
6 *producteurs*
7 *bénéfices*
8 *enfants*
9 *lutter*
10 *travail*
11 *gaspillage*

2b Students prepare a presentation about the importance of fair-trade. Students should talk for two minutes and are allowed to write down a maximum of 12 key words to help them.

3 Students read the text about micro-credit and summarise it in less than 30 words.

Possible answer:

Micro-credit, invented in the third world, but now common in Europe too, makes loans to people normally excluded from borrowing money so that they can start their own business.

4 Students listen to the report about micro-credit and complete the sentences.

Possible answers:

a *en dessous du seuil de pauvreté*
b *rembourser l'argent*
c *années 70/Bangladesh*
d *vivre de leur travail*
e *l'Année internationale du microcrédit*
f *dans les pays du Nord/en France*
g *l'exclusion et le chômage*

CD 2 track 3   p. 43, activité 4

Grâce au microcrédit, il y a des millions de personnes du tiers-monde qui vivaient autrefois en dessous du seuil de pauvreté qui ont pu créer une entreprise et donc élever leur niveau de vie. Il faut rembourser l'argent après deux ans, et les fonds peuvent alors être réinvestis dans une autre entreprise toute nouvelle. Ce système unique était l'idée d'un économiste au Bangladesh pendant les années 70. À cette époque, quelques banques ont commencé à proposer de petits prêts aux pauvres du milieu rural et l'idée a fait son chemin. Elle s'est répandue dans les pays en voie de développement, permettant à des millions de personnes non solvables de vivre de leur travail. L'Organisation

---

des Nations Unies a proclamé 2005 Année internationale du microcrédit.

Mais il ne s'agit pas uniquement d'un projet du Tiers-Monde. Depuis une dizaine d'années, la formule se développe aussi dans les pays du Nord. En France, où la précarité gagne du terrain, l'idée facilite l'accès au crédit bancaire à des personnes en difficulté, mais qui désirent créer une entreprise. Le microcrédit est donc agent de cohésion sociale et l'ancien Président Jacques Chirac l'a loué en disant que dans le cadre de la lutte contre le chômage et contre l'exclusion, le microcrédit constitue une voie prometteuse.

5a Students read the text about child refugees and write down whether the statements are true, false or not mentioned in the text. Students then correct any false statements.

Answers:

a *V*
b *F – ils aident des réfugiés dans le monde entier.*
c *F – ils travaillent aussi sur le plan psychologique, médical sanitaire, nutritionnel et récréatif.*
d *ND*
e *V*
f *V*

5b Students reread the text and use it as a basis for translating phrases into French.

Answers:

a *Les parrains d'Enfants Réfugiés ont voulu venir en aide aux réfugiés.*
b *Les enfants qui jouent ou dessinent peuvent souvent trouver la force d'affronter leurs problèmes. Pourquoi? Parce qu'ils ont retrouvé leur joie de vivre.*
c *Si on habite un pays en paix, on devrait faire preuve de bonne volonté pour aider ceux qui vivent dans un pays plein d'horreur.*

6 Using a text as stimulus, students write 250–300 words about inequality.

C 18

Additional listening practice on the issue of tackling child poverty is provided by Copymaster 18.

Zoom examen

page 44

Planner

Grammar focus

♦ The perfect tense

Translation problems

Students are reminded of the common mistakes in translation.

1 Students translate the sentences into French.

Answers:

a *Environ mille personnes se sont réunies au centre avant la manifestation.*

b *Patrick n'a eu ni travail ni logement pendant dix-huit mois.*

c *A peu près un quart des sans-abri dort dans la rue.*

d *Ceux qui ont un emploi ne pensent pas très souvent aux chômeurs.*

e *Nous devrions peut-être penser à leurs problèmes avant de les juger.*

f *Le tremblement de terre en Chine vient de détruire des villes entières.*

g *Il faut que nous envoyions des provisions et des vêtements jusqu'à la fin de la crise.*

h *Nous devons continuer d'essayer d'envoyer de l'aide jusqu'à ce que le gouvernement là-bas l'accepte.*

i *Les médecins de MSF arriveront vers la fin du mois.*

j *Ils travailleront dans la région pour environ six mois.*

Compétences

page 45

Expressing, justifying and defending a point of view

Students are given advice on how to support a view, etc. either orally or in written form.

1 Students read the two opinions and give their thoughts on the view they prefer. They can use vocabulary given for support and should aim to speak for one minute.

2 Students read the sentences and decide whether they belong to text A or text B.

Answers:
A: *a, d, e, h*
B: *b, c, f, g*

3 Students read the counter-arguments to texts A and B and give their reaction to them.

4 Students practise defending a viewpoint with a partner.

Au choix

page 46

1a Students listen to the first section of an interview with a volunteer in a soup kitchen and fill in the missing French words in the summary provided.

Answers:

1 *sensible*	**2** *volontariat*	**3** *documentaire*
4 *l'Abbé*	**5** *42*	**6** *soucier*

CD 2 track 4   **p. 46, activité 1a**

Première section

– Carole Bisset, vous êtes bénévole aux Restos du Cœur. Qu'est-ce qui vous a amenée à travailler pour cette organisation?

– J'ai toujours été sensible aux autres et l'hiver dernier, au cours duquel de nombreux SDF sont morts de froid, j'ai regardé un documentaire à la télévision sur les sans-abri. C'est le discours de l'Abbé Pierre qui m'a le plus touchée. Son dévouement pour faire prendre conscience au public que chacun doit se soucier du sort des exclus est incroyable. Il y travaille depuis 42 ans et son énergie m'a carrément impressionnée. La semaine suivante, j'ai contacté un Centre du Volontariat qui m'a rapidement donné rendez-vous.

Et c'est en discutant avec le placeur de la façon dont je voulais apporter mon aide et aussi de ma disponibilité, que nous avons choisi les Restos du Cœur.

1b Students listen to the second section of the recording and complete the sentences provided. This activity draws upon the students' close listening skills.

Answers:

a *les vaisselles; l'équipe des "camions du cœur"; des sandwichs et des cafés*

b *n'ont pas encore fait la démarche de se rendre dans un centre d'accueil* or *ne se sont pas encore rendus dans un centre d'accueil*

c *l'histoire de chaque individu; qu'ils sont dignes de recevoir de l'attention*

d *continuer à vivre*

CD 2 track 4   **p. 46, activité 1b**

Deuxième section

– Comment se passent vos journées sur le terrain?

– Elles peuvent être variées. Evidemment, il y a les vaisselles à faire, et le service en lui-même dans les centres de ralliement. Parfois, je vais accompagner l'équipe des 'camions du cœur' qui est un dispositif itinérant. On distribue des sandwichs et des cafés dans les gares ou bien dans les rues. C'est un des côtés du travail que je préfère car on peut alors parler avec les personnes en difficulté. Surtout dans ces conditions, c'est important parce qu'on atteint ceux qui n'ont pas encore fait la démarche de se rendre dans un centre d'accueil. C'est la chaleur humaine qui compte le plus ... savoir écouter l'histoire de chaque individu, leur faire sentir qu'ils sont dignes de recevoir de l'attention comme tout autre être humain. Pour Noël, en particulier, on fait un grand repas et c'est comme une grande famille où l'espoir renaît pour continuer à vivre. Quand on serre la main aux nouveaux arrivants, c'est comme s'ils avaient oublié qu'on puisse leur montrer un tel geste de respect.

1c Students listen to the third section of the interview and write a list of reasons for Carole's optimism for the future.

Answers:

1 *De plus en plus de personnes viennent rejoindre les diverses organisations de solidarité.*

2 *Les gens proposent des idées pour gagner l'opinion publique et aiguiser l'intérêt de la presse.*

3 *Le succès de Téléthon.*

CD 2 track 4   **p. 46, activité 1c**

Troisième section

– Comment voyez-vous l'avenir?

– De manière positive, bien sûr. De plus en plus de personnes, de jeunes comme moi et même d'handicapés viennent rejoindre les diverses organisations de solidarité. Partout les gens se rassemblent pour proposer de nouvelles idées pour gagner l'opinion publique et aiguiser l'intérêt de la presse. Regardez le succès du Téléthon qui a été inventé il y a quelques années ... oui, je reste très optimiste.

---

2 Students write their opinion on the role of the State and of the individual to help fight exclusion.

3a In this activity students select from a list those measures that they would be prepared to take personally in order to help the under-privileged.

3b This group work activity enables students to discuss the topic and exchange ideas in French. Students are invited to discuss what they do already, what they will do and what they would do, thus employing the use of the present, past and conditional tenses.

4 Students read the text with facts and figures relating to children and translate into English.

Answers:

- *33,000 children under 5 die every day from the combined effects of malnutrition and of infectious and parasitic diseases.*

- *174 million children under 5 suffer from serious or moderate malnutrition.*

- *140 million children aged 6-11, of whom two thirds are girls, do not attend school.*

- *585,000 women die every year from pregnancy or childbirth-related conditions, leaving more than a million orphans.*

C20

Additional translation practice is provided on Copymaster 20.

Révisions Unités 3–4

pages 47–48

Planner

Resources

♦ Students' Book pages 47–48

♦ CD 2 track 5

---

1 Students read the text about summer camps for a charity which helps homeless people. Students then decide whether each statement is true, false or not mentioned in the text. Students should justify their answers.

Answers:

a *faux (des jeunes du monde entier);*

b *ND;*

c *faux (chacun travaille selon ses capacités);*

d *faux (au rythme de la communauté en s'intégrant; le but est de découvrir le quotidien d'une communauté Emmaüs);*

e *vrai (des rencontres afin de débattre sur des sujets d'actualité);*

f *ND*

2 Students work in pairs to perform a dialogue. Partner A takes the role of a teenager who wants to go to summer camp and Partner B takes the role of a parent who's reluctant for them to go. Partner A needs to convince Partner B about the advantages of the summer camp and can refer back to the section on justifying opinions (Compétences, page 45) to help them.

3 Students listen to a report about the plight of immigrants in France and answer the questions.

CD 2 track 5   **p. 47, activité 3**

En 2002, le taux de chômage des immigrés s'élevait à 16,4 %, ce qui était le double de celui des non-immigrés. Les immigrés occupent plus souvent des emplois non-qualifiés, et ces emplois sont en général les premiers à disparaître en période de crise économique. Mais reste quand même qu'à catégorie socioprofessionnelle égale, on trouve plus de chômeurs chez les immigrés.

En outre, 15,4 % des immigrés qui ont fait des études sont sans emploi contre seulement 5,5 % des non-immigrés qui ont fait les mêmes études… Donc au même niveau de qualification, il y a trois fois plus de chômeurs parmi les immigrés. Chez les Maghrébins, les Noirs africains et les Turcs, plus d'une personne sur cinq est sans emploi. Par

---

contre, chez les immigrés "invisibles", comme les Espagnols, les Portugais ou les Italiens, le taux de chômage est parfois inférieur à celui des non-immigrés. Quant au logement, 57 % des familles non-immigrées sont propriétaires de leur logement contre seulement 35 % des immigrés. Ceux-ci sont donc locataires et vivent dans un logement social. Là encore, il y a des inégalités entre les pays d'origine: 50% des familles maghrébines habitent dans une HLM, alors que 50% des familles d'origine européenne sont propriétaires. Les immigrés déclarent deux fois plus souvent que les non-immigrés avoir souffert du froid, de l'humidité et du bruit. 28 % vivent en surpeuplement contre 5% de la population restante.

Les immigrés souffrent donc d'un double préjudice: une discrimination selon leurs origines qui les poussent vers des "quartiers" dits difficiles et ensuite des préjugés sociaux liés à ces quartiers qu'on identifie trop souvent comme des lieux à haute criminalité, et dont les habitants sont considérés comme des indésirables.

Answers:

a *Oui, en 2002, le taux de chômage des immigrés s'élevait à 16,4 %, ce qui était le double de celui des non-immigrés.*

b *Non, (15,4 % des immigrés qui ont fait des études sont sans emploi contre seulement 5,5 % des non-immigrés qui ont fait les mêmes études. Au même niveau de qualification, il y a trois fois plus de chômeurs parmi les immigrés.)*

c *Oui, (chez les Maghrébins, les Noirs africains et les Turcs, plus d'une personne sur cinq est sans emploi. Par contre, chez les immigrés "invisibles", comme les Espagnols, les Portugais ou les Italiens, le taux de chômage est parfois inférieur à celui des non-immigrés.)*

d *Oui, (50 % des familles maghrébines habitent dans une HLM, alors que 50 % des familles d'origine européenne sont propriétaires.)*

e *une discrimination selon leurs origines qui les poussent vers des quartiers dits "difficiles" et ensuite des préjugés sociaux liés à ces quartiers.*

4 Students read the article about Doona.fr and answer the questions, quoting the text.

Answers:

a *(3 points) le premier moteur de recherche à but humanitaire au monde; très jeune équipe constituée de jeunes lycéens français; votée Championne régionale et Seconde nationale au concours Aller de l'Avant qui récompense l'esprit d'initiative*

b *(2 points) très jeune; grâce à sa motivation et à sa force de conviction, il a réussi à relever le défi*

c *(2 points) chaque recherche rapporte de l'argent à Doona grâce aux publicités et aux liens sponsorisés; toutes les recettes sont redistribuées mensuellement à une association caritative que les internautes choisissent*

d *(2 points) mettre Doona.fr en page d'accueil, faire des recherches avec le moteur de recherche*

5 Students use the article to translate the sentences into French.

Possible answers:

a *Doona est le premier moteur de recherche à but non-lucratif au monde lancée en 2006 par trois lycéens français.*

b *Doona redistribue mensuellement toutes ses recettes à des œuvres caritatives ou des associations humanitaires.*

c *C'est grâce à la force de conviction de Nicolas Desmarets que son initiative, que beaucoup pensaient vouée à l'échec, a connu un succès sans pareil en 2006.*

6 Students read the quotes from Kofi Annan and Joseph Wresinski and use them as well as ideas from units 3 and 4 to convince friends to join an anti-racist or anti-exclusion association. Students should write approximately 250 words.

Unité 5 Crimes et châtiments

Unit objectives

By the end of this unit students will be able to:

♦ Talk about internet crime
♦ Discuss the issues of young people and violence
♦ Comment on alternative punishments to prison sentences

Grammar

By the end of this unit students will be able to:

♦ Use the past conditional
♦ Differentiate between the various tenses

Skills

By the end of this unit students will be able to:

♦ Understand and present a text

Resources

♦ Students' Book page 49

page 49

1 Activity 1 gets students familiar with the vocabulary of crime. Students find the English for the French expressions and discuss in pairs their seriousness.

Possible answers:

piratage – piracy, racket – racketeering, usurpation d'identité — identity theft, viol – rape, harcèlement sexuel – sexual harassment, consommation de drogues – drug use, insultes – abuse, dégradation de biens – vandalism, agression à main armée – armed attack, fraude – fraud, port d'armes – carrying a weapon, homicide involontaire – manslaughter, bagarre – fight, vol – theft, cambriolage – burglary, meurtre – murder, trafic de drogues – drug trafficking

 Ask students to brainstorm and suggest other crimes.

2 Students look at the crime figures and say which of the reactions they agree with using the provided text for help.

This activity offers students an opportunity to compare stats for both France and UK which might come in useful when discussing crime–related issues. It also provides useful phrases when faced with a text with factual information students may not be aware of. It also introduces students to the grammar point: pairing of tenses.

3 Students discuss in groups the crime-related issues.

Les pirates du Net

pages 50–51

> **Planner**
>
> *Grammar focus*
> ♦ The past conditional
>
> *Skills focus*
> ♦ Identifying the different tenses
>
> *Key language*
> ♦ *hackers, piraterie, pillage de sites Internet, démanteler un réseau, pénétrer, phishing, mineur, peine de prison, amende, un procès*
> ♦ *mettre en garde à vue, soupçonner, pirater, collaborer, mener une enquête, remonter, pénétrer, approprier, vider, interpeller*
>
> *Resources*
> ♦ Students' Book pages 50–51
> ♦ Grammar Workbook page 79
> ♦ Copymasters 22, 24 and 28

1 Students read the article about computer hackers and choose the two sentences which best convey the main points of the text.

Answers:
b and d are better than a and c, which reflect more the details than the main points of the article.

2 Students reread the article and choose ten key words. Using these words, students write a summary (60-70 words) about the article.

3a As part of a grammar focus on tenses, students pick out the verbs from the text and write down the tense and explain why the tense is used.

Answers:
avaient collaboré = pluperfect: this action took place before another one; ont remonté et démantelé = perfect: this event took place at a specific moment in the past; auraient pénétré + auraient créé + se seraient appropriés + auraient vidé = past conditional: to express events that possibly happened in the past, but which haven't been confirmed; sont = present (a fact); pourraient + devrait = conditional (to express a likely future event)

Grammaire

The past conditional

This section focuses on how to form the past conditional and examines its usage.

A Students look at the text about hackers and find two more examples of the past conditional.

Answers:

ils auraient créé, ils auraient vidé

B Students identify the sentence which is in the past conditional and translate it into English.

Answer:

1 *The hackers could have been organised into networks.*

C24

Additional grammar practice of the past conditional is provided by Copymaster 24.

3b This activity introduces students to the past conditional. Students refer to the Grammaire section and have to choose why the author of the article about hackers used this tense.

Answer:

b

4 Students reread the article and answer the questions either orally or in writing.

Possible answers:

a *Ce sont des mineurs.*

b *Une association de pêche, dont on avait piraté le site Web.*

c *La police a réussi l'opération en collaborant à l'échelon national.*

d *On les accuse de piratage et de pillage de sites Internet.*

e *Ils risquent de lourdes peines de prison (entre deux à cinq ans) et des amendes importantes (plus de 30 000 euros).*

5 Students read the article about identity theft and answer the questions.

Answers:

a *Ils trouvent leurs victimes sur les réseaux sociaux, parce qu'ils y trouvent un large choix de victimes potentielles; des personnes qui donnent de plus en plus d'informations personnelles.*

b *La police a examiné son ordinateur après avoir lu sur Facebook qu'il préparait une attaque violente.*

c *Un inconnu était le vrai coupable, car il avait volé l'identité de l'étudiant.*

d *La femme a été victime de harcèlement sexuel.*

e *Ils auraient pu éviter le problème en ne mettant pas d'informations personnelles sur le Web.*

f *La personne a été condamnée à 6 mois de prison avec sursis et 1500 euros de dommages et intérêts.*

6a Students use the expressions from activity 1, page 50, to talk about the article.

6b Students use the expressions from activity 2, page 49, to give their personal reactions to the text.

7 Students refer to the Grammaire section about past conditional usage and find three examples of it in the text.

Answers:

1 *S'il ne s'en était pas vanté, on ne l'aurait pas identifié/on l'aurait identifié trop tard*

2 *Elle n'aurait jamais dû mettre*

3 *Il aurait préparé/elle aurait passé*

Grammaire

The past conditional

This section focuses on the usage of the past conditional.

A Students rewrite the sentences using the past conditional.

Answers:

1 *Vous n'auriez jamais dû mettre d'infos personnelles sur le site.*

2 *A sa place, je n'aurais donné ni mon nom ni mon numéro de portable.*

3 *Si elle avait voulu, la victime aurait pu porter plainte.*

4 *Si la police n'avait pas retrouvé le véritable coupable, l'étudiant aurait pu se faire arrêter.*

8 Students write 200 words outlining the risks that they, as internet users, are exposed to.

C22

Additional reading practice on the subject of internet fraud provided by Copymaster 3.

C28

Additional reading practice on this topic is provided by Copymaster 28.

Rebelles ou criminels?

pages 52–53

Planner

Grammar focus

♦ The present tense

Skills focus

♦ Writing an essay on youth violence

Key language

♦ *le chômage des jeunes, la crise économique, la culture de la violence, le décrochage scolaire, la délinquance, la démission parentale, la perte des "valeurs", la précarité des familles, la rébellion de l'adolescence, la violence au sein de la famille*

Resources

♦ Students' Book pages 52–53
♦ CD 2 track 6
♦ Grammar Workbook page 32
♦ Copymasters 23 and 26

---

1 Students read the article and allocate a title to each paragraph.

Answers:

a *paragraphe 4*
b *paragraphe 6*
c *paragraphe 2*
d *paragraphe 1*
e *paragraphe 5*
f *paragraphe 3*

2a Students look up the words in a dictionary, as necessary, and write down their meanings.

This activity introduces students to some of the vocabulary related to youth violence.

Answers:

a *unemployment among young people*
b *economic crisis*
c *the culure of violence*
d *educational failure*
e *delinquancy*
f *the abdication of parental responsibility*
g *a loss of values*
h *families in difficulties*
i *teenage rebellion*
j *violence in the family*

2b Students identify which of the reasons mentioned in activity 2a are mentioned in the text and add details.

Possible answers:

la culture de violence – la violence existe partout; la démission parentale – le soutien de la famille se perd; la perte des valeurs – il n'y a plus de respect aujourd'hui

2c Students consider the main reasons for teenage violence. Can they come up with different reasons to those mentioned?

3 In pairs, students discuss the three solutions mentioned in the article and give their opinions.

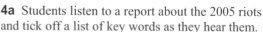

4a Students listen to a report about the 2005 riots and tick off a list of key words as they hear them.

CD 2 track 6   **p. 53. activités 4a et 4b**

– **Bienvenue sur Radio-Jeunes. Nous avons aujourd'hui dans le studio Claude Hantier, journaliste, qui a enquêté sur les émeutes de 2005. Claude, pouvez-vous nous dire si les jeunes sont vraiment de plus en plus violents? Qu'en est-il exactement?**

– Oui, c'est une réalité: la violence des jeunes est en progression en France. En 20 ans, le nombre de délits violents commis par des jeunes a plus que doublé. Mais il faut également se rappeler qu'elle ne touche que 2% des moins de 18 ans. Il faut donc se méfier des amalgames parfois faciles, dont les médias sont souvent responsables, entre jeunes et violence.

– **Pourtant, ce sont essentiellement des jeunes qui ont participé aux émeutes en 2005, non? Pouvez-vous nous rappeler les faits, nous dire ce qui s'est passé dans les banlieues en 2005?**

– A l'origine des émeutes de 2005, il y a eu la mort accidentelle, fin octobre, de deux mineurs, qui voulaient échapper à un contrôle de police dans une banlieue parisienne. Le soir même, des dizaines de jeunes ont réagi contre ce qu'ils ont estimé être la répression policière excessive: ils ont attaqué des policiers, des pompiers, des bâtiments publics, et ils ont brûlé des voitures et des bus. Mais ce n'était pas un phénomène nouveau. Il y avait déjà eu plusieurs émeutes de ce genre dans les années 80 et 90.

– **La différence ici, c'est que la violence s'est étendue à d'autres banlieues?**

Oui, début novembre, la violence s'est étendue à d'autres cités dites sensibles dans toute la France. Le bilan des émeutes a été assez lourd: plus de 6000 véhicules et des dizaines de bâtiments publics brûlés, des dizaines de blessés légers, trois blessés graves, et un mort. La police a interpellé

---

plus de 1500 personnes. Le gouvernement a décrété l'état d'urgence.

– **Alors, comment expliquer l'escalade des réactions violentes des jeunes des banlieues?**

– Tout comportement de violence est inexcusable, mais si on regarde les chiffres, on peut comprendre le ressentiment des jeunes: les banlieues connaissent deux fois plus de chômage que le

– reste du territoire et presque trois fois plus de pauvreté et de précarité. Il faut ajouter à cela le fait que ces jeunes se sentent isolés et rejetés par les institutions comme l'école et constamment humiliés aux yeux de tous: par exemple, en juin 2005, Nicolas Sarkozy, élu par la suite président de la république, avait appelé ces jeunes des cités "la racaille" et disait qu'il allait nettoyer les cités au "karcher", en faisant une fois de plus un amalgame dangereux entre violence et immigrés, amalgame repris constamment dans les médias. De ça, les jeunes, ils en ont assez. On oublie que la grande majorité des jeunes des banlieues sont français, nés en France, même si leurs parents sont nés ailleurs.

– **Eh bien, merci beaucoup pour cette analyse. Nous allons passer à une autre rubrique mais tout d'abord , une page de publicité...**

4b Students listen to the report again and select the correct answers. They then correct any wrong answers.

Answers:

(correct answers:) **1** *c,* **2** *a,* **3** *b*

(corrected sentences:)

1a – *La délinquance juvénile a plus que doublé en 20 ans.*

1b – *2 % des moins de 18 ans ont commis un délit violent.*

2b – *Il y a déjà eu plusieurs émeutes dans les années 80 et 90.*

2c – *Il y a eu beaucoup de dégâts; des bâtiments publics, ainsi que des voitures et des bus ont été brûlés.*

3a – *On peut comprendre le ressentiment des jeunes.*

3c – *Nicolas Sarkozy a contribué en juin 2005 à l'amalgame « immigrés = violence ».*

4c Students present the main points of the article orally. They can use the key words on the page and their notes for support.

5 Students write 300 words, using the stimuli on the spread and their own thoughts in response to a statement about youths and violence.

C23
Additional listening practice on this topic is provided by Copymaster 23.

C26
Additional practice about crime deterrents can be found on Copymaster 26.

Justice ou injustice?

pages 54–55

Planner

Grammar focus

♦ The conditional

Skills focus

♦ Listening for specific information

Key language

♦ *le crime, la prison, efficace, l'amélioration des conditions de vie, l'emprisonnement, les détenus, le travail d'intérêt général (TIG), la collectivité*

♦ *punir, dissauder, amender, condamner, sanctionner*

Resources

♦ Students' Book pages 54–55
♦ CD 2 track 7
♦ Grammar Workbook page 60
♦ Copymaster 27

---

1 Students read the text and find the French equivalents for the words listed in English.

Answers:

a *la désinsertion sociale*

b *la récidive*

c *efficacement*

d *évidemment*

e *le travail d'intérêt général*

f *sanctionner*

g *responsabilisant*

h *une méthode insécuritaire*

i *tenter de*

j *quitte à*

2a Students reread the text and make notes on the themes given.

Answers:

a *punir, dissuader, amender*

b *l'école du crime; on ressort plus caïd; on ressort moins inséré; la récidive; elle ne sert à rien dans de nombreux cas*

c *Ils sont mal suivis et maltraités par les autres; ils y deviennent plus fous encore*

d *la médiation pénale; le bracelet électronique; la castration chimique; le travail d'intérêt général; la suspension du permis de conduire*

2b Students discuss each point in 2a with a partner and prepare a list of arguments for and against imprisonment.

3 Students use the words and expressions from activity 1 to complete the summary of the article, making use of the grammatical clues.

Answers:

désinsertion sociale; efficacement; responsabilisante; récidive; évidemment; insécuritaire; tenter de; quitte à; sanctionner; le travail d'intérêt général

4a Students listen to the beginning of the interview with Philippe, an ex-prisoner, and note what would or would not have happened had he not been sentenced to prison.

Answers:

1 *Sa situation financière ne se serait pas détériorée.*

2 *Il se serait réintégré plus rapidement.*

3 *Il aurait appris un métier qui l'aurait aidé à se réinsérer vraiment.*

4 *Il n'aurait pas fréquenté les gros caïds du crime.*

CD 2 track 7   **p. 55, activités 4a, 4b et 4c**

– Philippe, vous avez été arrêté pour cambriolage et condamné à trois ans de prison. Vous aviez 19 ans, vous en avez maintenant 25 et vous militez pour la réforme pénale. Pourquoi?

– Parce que je crois que mettre quelqu'un en prison, c'est pas faire la justice, c'est faire une injustice!

– Expliquez-vous.

– J'aurais pu faire tellement de choses plus utiles et plus intelligentes si je n'étais pas allé en prison!

– Par exemple...

– Je pense que j'aurais réparé ma faute de façon plus utile et j'aurais payé ma dette de façon plus intelligente en restant à l'extérieur avec le système de médiation pénale, par exemple, le travail d'intérêt général. En plus, ma situation financière

---

ne se serait pas détériorée et je me serais peut-être réintégré plus rapidement à ma sortie.

– Là, vous avez des problèmes financiers?

– Bien sûr, je suis dans la même galère qui m'a poussé au cambriolage! En purgeant ma peine à l'extérieur, j'aurais peut-être appris un métier et ça, ça m'aurait aidé à me réinsérer vraiment. Et puis, si je n'étais pas allé en prison, je n'aurais pas fréquenté ces gros caïds du crime qui ont essayé de faire de moi un vrai criminel ... moi, mon cambriolage, c'était juste une erreur de jeunesse. On dit que la prison, c'est l'école du crime et c'est bien vrai: c'est un système corrupteur et destructeur pour beaucoup de jeunes.

* * * *

– Parlez-nous des conditions de vie et de détention à la prison.

– Il y a deux gros problèmes dans les prisons françaises: d'abord, le problème de surpopulation et donc de promiscuité: on est les uns sur les autres, on a aucune intimité. On perd vraiment sa dignité humaine dans ces conditions-là. Quand j'y étais, on était à cinq dans une cellule pour deux. L'autre problème, c'est le financement. Les bâtiments sont vieux et mal entretenus, l'hygiène est abominable: les sanitaires sont toujours sales. Et la nourriture? Atroce, surtout pour les pauvres, comme moi: pas de fruits ou de légumes. Alors forcément, tout ça, ça entraîne des problèmes de santé. On attrape beaucoup de maladies dans ces conditions-là. Mais je crois qu'il y a un problème pire que celui des conditions matérielles: c'est que la prison est un enfer – c'est un monde très violent. Il y a des agressions, des viols, du racket, de la drogue, c'est l'horreur. Moi, j'ai souvent eu très très peur ... Alors, on perd vite espoir dans un endroit comme ça. D'ailleurs, beaucoup de détenus se suicident. Le taux de suicides est très élevé. Quand on sort, on se sent dégradé, humilié, c'est comme si on n'avait plus rien à perdre ... alors beaucoup recommencent, ils récidivent. Le taux de récidive est de 60%. Ça montre bien quand même que le système ne fonctionne pas.

* * * *

– Vous militez donc maintenant dans une association. Qu'est-ce que vous réclamez? De meilleures conditions de vie dans les prisons?

– Améliorer les conditions de vie en prison est une chose, mais le plus important, à mon avis, c'est de développer les peines alternatives à l'enfermement. La prison, c'est une rupture avec la vie sociale, avec les réalités de la vie extérieure. Pour faire en sorte que la réinsertion soit possible, il faut éviter cette rupture. Il faut maintenir les liens familiaux et sociaux pour pouvoir redevenir un citoyen à part entière. Quand on a commis un crime, il faut être puni, mais quelle est l'utilité d'un emprisonnement tel qu'on le pratique maintenant?

– Des alternatives?

– Avec la médiation pénale, le coupable et la victime se mettent d'accord sur la réparation. Pour un cambriolage par exemple, on pourrait envisager de faire des travaux de nettoyage ou de peinture chez la victime. Et il y a le travail d'intérêt général: on vit chez soi, si on a un emploi, on va au travail et pendant son temps libre, on fait un travail - non rémunéré - pendant un certain nombre d'heures pour la communauté (dans un hôpital, une école, etc.) On repaie donc sa dette à la société de façon utile sans être privé de sa liberté et de sa dignité. On pourrait par exemple demander à un automobiliste qui a causé un accident de la route de travailler aux urgences d'un hôpital. Il aurait de quoi réfléchir. Le TIG coûte moins cher que la prison. La réinsertion des délinquants est plus facile et plus durable, il y a moins de récidive. Cela laisse plus de place dans les prisons pour les criminels les plus dangereux.

4b Students listen to the second section of the recording and answer questions.

Answers:

a *la surpopulation et la promiscuité; le financement*

b *On n'a aucune intimité, on perd sa dignité humaine; les bâtiments vieux, les sanitaires sales, la nourriture atroce, tout cela entraîne des problèmes de santé.*

c *C'est un monde très violent – des agressions, des viols, du racket, de la drogue.*

d *Le taux de récidive est de 60%.*

4c Students listen to the final section and complete the sentences using vocabulary from the recording. They need to pay attention to the form of the words they use.

Answers:

a *développement*

b *rompt*

c *utile*

d *travailler*

e *facilement… durablement*

5a In groups, students imagine that they are deciding the punishments for individuals in various cases.

5b Students imagine other cases and discuss possible penalties. They discuss their decisions with other groups.

6 Students create a piece of writing (about 350 words in length) which answers the questions in bold at the

top of page 54. They express their own opinions with help from the arguments discussed in this section.

C27
Additional listening material on the subject of crime and immigration can be found on Copymaster 27.

Zoom examen

page 56

Planner

Grammar focus

♦ Tenses

Resources

♦ Students' Book page 56

Using tenses

These activities on tense usage are based on the material on Students' Book pages 133–138.

1 Students read the text about Patrick Henry and answer the questions.

Answers:

a *Patrick Henry a enlevé un enfant, l'a séquestré et l'a tué.*

b *L'accusé semble indéfendable.*

c *L'affaire devient passionnelle et les médias contribuent à sa dramatisation. Il devient difficile de trouver un défenseur à Patrick Henry.*

d *On a considéré que la peine de mort serait réintroduite comme châtiment, mais Patrick Henry a été condamné à réclusion à perpétuité.*

e *Ils voulaient abolir la peine de mort.*

2 Students write about their verdict on the case, using verbs in the past conditional.

3 Students identify all tenses in the text and explain their usage.

4 Students rewrite the text in the perfect tense, changing any other tenses, as necessary.

Answers:

… les recherches qui ont duré vingt jours … les déclarations se multipliaient … ont réclamé … ont précisé même qu'ils souhaitaient … l'affaire a pris … les médias contribuaient … il est devenu difficile … sont ceux qui ont accepté … a fait connaître son verdict … Un verdict qui a étonné, … la presse

évitait, elle déclarait ... a conclu son billet ... Patrick Henry, lui, a lancé au jury ...

5 Students complete the sentences by choosing the most appropriate tense of the verb in brackets.

Answers:

a *a tué*

b *ne changerait jamais*

c *devrait*

d *pouvait*

e *ne regretteraient pas*

6 Students translate the sentences from activity 5 into English.

Answers:

a *To the French people, Patrick Henry was a monster because he killed a child.*

b *Public opinion thought that Henry would never change.*

c *According to the then Minister of Justice, Henry should be executed.*

d *The jury thought that Henry could perhaps make amends.*

e *Patrick Henry promised members of the jury that they wouldn't regret their decision.*

Compétences

page 57

Planner

Resources

♦ Students' Book page 57
♦ Copymasters 21 and 25

Understanding and presenting a text

This section focuses on how students can best understand and present a text orally or in writing.

1 Students read the article and present its contents either orally or in writing.

C25
Additional speaking practice is provided by Copymaster 25.

C21
Additional practice of the skills covered in the unit is provided by Copymaster 21.

Au choix

page 58

Planner

Resources

♦ Students' Book page 58
♦ CD 2 track 8

---

 1 Students listen to the report and answer the questions.

Answers:

a *C'est un bracelet relié électroniquement à la police qu' on fixe à la cheville des criminels.*

b *Pour que la police sache lorsque l' adolescent sort de chez lui pendant le couvre-feu.*

c *Il est contre son utilisation parce qu'il doute qu'il réduise efficacement le nombre de prisonniers. En plus, il est péturbé par la question morale de faire porter aux gens cet appareil qui les prive de liberté.*

d *En disent qu'il est à craindre qu'il ait autant de monde dans les prisons et en finissant par la phrase ironique: IIs en ont des idées, Outre-Manche!'.*

e *–Personal answer–*

CD 2 track 8   **p. 58, activité 1**

Une trouvaille qui nous vient de Grande-Bretagne: le bracelet électronique que l'on met aux enfants. C'est un bracelet fixé à la cheville et relié électroniquement à la police. En Grande-Bretagne, il est d'usage courant: on le met sur les jeunes condamnés que l'on ne veut pas ou qu'on ne veut plus garder en prison. Ici, en France, ce bracelet n'est encore qu'à l'essai. L'excuse donnée pour l'utilisation de ce bracelet, c'est que ça permet de réduire le nombre de prisonniers. Il est en fait bien à craindre qu'il y ait tout autant de monde dans les prisons en plus des gens obligés de porter ce bracelet électronique.

Bien sûr, à ces gens-là, on leur dit que c'est une faveur, que tout ce qu'ils ont à faire, c'est de ne pas sortir de chez eux. En quelque sorte, on leur demande, simplement, d'être leur propre gardien de prison! S'ils sortent, la police est immédiatement alertée électroniquement. Le ministère de l'Intérieur britannique prévoit qu'il sera obligatoire pour certains mineurs de porter le bracelet électronique, de façon à contrôler leurs mouvements et à les

---

empêcher de sortir de chez leurs parents pendant le couvre-feu. On pense même étendre ce système, qu'on expérimente depuis plusieurs années chez les 14 à 15 ans aux enfants de 10 ans. Dix ans et déjà un boulet électronique au pied, comme les bagnards. Ils en ont des idées, outre-Manche!

2 Students read the article and answer the questions.

Possible answers:

a *de la réduction de la peine de prison de deux adolescents qui avaient participé à l'incendie d'un bus, où une jeune femme fut brûlée vive sur plus de 60% de la surface du corps.*

b *Pour être plus humanitaire, car les deux coupables étaient tous les deux des mineurs.*

c *Que la décision soit juste pour quelqu'un de si jeune.*

d -

3 Students read the prisoner's comments and respond to them in 300 words.

4 Students read the background information and select one of the posters to talk about for two minutes. Students are encouraged to record their presentations.

Unité 6 Les technologies nouvelles

Unit objectives

By the end of this unit students will be able to:

♦ Talk about new technology in everyday life
♦ Discuss the ethical issue relating to advances in human genetics
♦ Argue for or against genetically modified organisms

Grammar

By the end of this unit students will be able to:

♦ Understand and use the future perfect/futur antérieur

Skills

By the end of this unit students will be able to:

♦ Write complex sentences on specialist topics

Resources

♦ Students' Book page 59

page 59

1 As an introduction to the topic of new technologies, students match the titles to the correct photos.

Answers:
1 *E* 2 *F* 3 *A* 4 *D* 5 *C* 6 *B*

2 Students consider which are the most important discoveries. They discuss their answers with a partner.

3 Students consider if any other aspects of technology play an important role in life today.

Ma vision du futur

pages 60–61

Planner

Grammar focus

♦ The future perfect

Skills focus

♦ Using the future tense or past historic in a text

Key language

♦ *les technologies nouvelles, des ordinateurs, une maison* intelligente, *travail ménager*

♦ *s'adapter, inventer, gaspiller, limiter, équiper, s'unir, résoudre, développer, se déplacer, établir,* prendre *(des mesures), programmer*

Resources

♦ Students' Book pages 60–61
♦ CD 2 track 9
♦ Grammar Workbook page 78

1a Students read the article about life in the future and, working in pairs, they write down the words in the text relating to new technology.

1b Students complete the summary by choosing the correct verbs from the box.

Answers:
1 *vivra*
2 *aura*
3 *sera*
4 *avertira*
5 *se prépareront*
6 *s'occuperont*
7 *aideront*

1c Students reread the article about Thomas' life and complete the sentences using the future tense.

Answers:
A *... se fermeront à clé derrière soi.*
B *... s'allumera automatiquement.*
C *... scannera un code à barres.*
D *... transportera à votre destination.*

 2a Students listen to three teenagers talking about life in 2050 and identify who says what.

Answers:
Julien
Caroline
Marion
Marion
Caroline
Julien
Marion

CD 2 track 9 p. 61, activités 2a, 2b, 2c et Grammaire C

1 Caroline

Il me semble que les choses seront très différentes, car les gens auront changé, ils se seront adaptés au monde du numérique. On aura inventé beaucoup de nouvelles machines, qui nous

---

rendront la vie quotidienne plus confortable. Ce sera l'ère du tout automatique, mais je pense que la technologie sera aussi peu consommatrice d'énergie. Je trouve qu'à l'heure actuelle, on gaspille trop d'énergie chez soi, mais la maison de l'avenir permettra plus de confort, de sécurité et d'économie d'énergie.

2 Julien

Moi, je pense qu'en 2050, le gouvernement aura pris des mesures pour limiter les déplacements, afin de protéger davantage l'environnement. Finis les vols bon marché, les voitures 4x4! Dès qu'on aura mis en place des transports publics rapides et gratuits, on n'aura plus besoin de voiture individuelle. De toute façon, il ne sera presque plus nécessaire de sortir de la maison, car on aura tout ce qu'il faut chez soi. On y travaillera, on fera ses achats au cybermarché, et en plus, chaque maison sera équipée d'un home cinéma. Quant aux vacances, les voyages virtuels, qui ne consomment pas d'énergie, deviendront de plus en plus populaires.

3 Marion

En ce qui concerne le progrès, moi, je suis plutôt optimiste. Sur le plan politique, je suis convaincue que tous les pays se seront unis et qu'on parlera tous la même langue. Ce sera enfin l'ère de la paix mondiale! Sur le plan écologique, on aura résolu les problèmes de pollution, et la Terre aura été déclarée "secteur sauvegardé" pour les animaux et la végétation. Les scientifiques auront développé des moyens de transport non-polluants; on se déplacera dans une voiture volante, ou bien grâce à un jet-pack individuel. On aura établi des centres de vacances dans des stations spatiales, ou bien on pourra passer une quinzaine de jours sur une autre planète.

2b Students listen to the audio again and, using the expressions from activity 2a and the key words provided, they write a sentence to explain each point.

2c Students listen to the audio again and note down one extra point that each person mentions.

3 Working in pairs, students prepare to question a French teenager about their daily life in 2050.

4 Students write a description of their vision for the future and in doing so, practise using the future and the perfect future.

Grammaire
The future perfect tense

This grammar section explains the use of the future perfect tense and when it is used instead of the future tense.

A Students look at the sentences in activity 1c and explain why the future perfect is used in each case.

Possible answers:
A *sera sorti – used after the conjunction dès que*
B *se seront fermées – describing what will have happened before something else*
C *sera monté – used after the conjunction aussitôt que*
D *on aura programmé – used after the conjunction quand to express a sequence of events*

B Students translate the sentences from listening activity 2 into English.

Answers:
a *We will have invented lots of new machines which will make our daily life more comfortable.*
b *After we have implemented quick and free public transport, we'll no longer need to have individual cars.*
c *Scientists will have developed non-polluting forms of transport; we will get around in flying cars.*

C Students listen to the speakers in activity 2 again and note down other examples of the future perfect tense and translate them into English.

Answers:
1 Caroline
ils se seront adaptés – they will have adapted
2 Julien
le gouvernement aura pris des mesures – government will have taken measures
3 Marion
tous les pays se seront unis – all countries will be united
on aura résolu – we will have solved

Progrès et peurs

Pages 62–63

Planner
Grammar focus
♦ The future tense
Skills focus
♦ Reading longer texts on an issue
Key language
♦ *avancées médicales/génétiques, problème éthique, une malformation congénitale, une riposte thérapeutique, la mutation, les greffes de cœur, le séquençage du génome humain, les manipulations génétiques, banques d'organes,*

*maladies héréditaires, les scientifiques,
l'humanité, la génétique*

♦ *guérir, faciliter, créer, influencer*

Resources

♦ Students' Book pages 62–63
♦ CD 2 track 10
♦ Grammar Workbook page 54

1a Students match the dates to the discoveries and inventions.

Answers:

a *1954*

b *1853*

c *1967*

d *1895*

e *1978*

f *1796*

g *1928*

h *2000*

1b In pairs, students choose the three most important discoveries. They present their findings to the class and justify their opinions.

2 In pairs, students discuss future medical breakthroughs and their impact. They also discuss which discoveries will have been made in the next 20 years.

3a Students read the five messages on page 63 and note down whether each person is optimistic or positive.

Answers:

Pour: *Vincent, Jérémy, Théo*

Contre: *Mylène, Julie*

3b Students match the statements to one of the five people.

Answers:

a *Vincent*

b *Théo*

c *Mylène*

d *Julie*

e *Jérémy*

f *Jérémy*

3c Students reread the messages and make a list of the arguments for and against genetic engineering.

3d Students discuss in pairs which of the five people they most agree with.

4a In preparation for the listening activities, students look up the key words.

Answers:

le malentendu – misunderstanding, un handicap auditif – hearing disability, une malformation congénitale – a hereditary deformity, une riposte

thérapeutique – a therapeutic effect, une vision d'ensemble – a view of the bigger picture, la topographie – topography, la mutation – mutation, la mise au point – the development, l'incapacité – inability, l'excitation médiatique – the media frenzy

4b Students listen to the interview with a leading doctor in the area of genetics and make notes on the given topic areas.

CD 2 track 10	**p. 62, activité 4b**

Interviewer: Le Centre de génétique de l'hôpital Necker à Paris réunit dans un même lieu une équipe scientifique, qui cherche à identifier les gènes de maladies, et une équipe médicale, qui reçoit enfants et parents porteurs d'un problème génétique et propose diagnostic et prise en charge médicale, éducative et psychologique. Arnold Munnich est responsable de l'équipe de recherche et de l'équipe médicale. Docteur Munnich, le séquençage du génome en 2000, vous a-t-il permis de mieux soigner les maladies génétiques?

A.M.: Il y a d'énormes malentendus entre les scientifiques et le public. Le séquençage du génome en est un exemple. A-t-on attendu le séquençage exhaustif du génome pour localiser et identifier les gènes de maladies génétiques? Evidemment non. Au cours des années 1980-2000, on a découvert les gènes de plus de mille maladies: presque tous les handicaps visuels et auditifs, et la majorité des malformations congénitales. Tout cela avant le séquençage exhaustif du génome.

Interviewer: Comment les généticiens comme vous travaillent-ils?

A.M.: En tant que médecin et généticien, je vais de mon malade à sa famille, de sa famille à d'autres familles, et de toutes ces familles à la localisation du gène et à son identification, puis à l'invention d'une riposte thérapeutique. Pour les généticiens qui travaillent sur le séquençage exhaustif, l'idée est d'arriver à une vision d'ensemble de la topographie, y compris les régions qui ne semblent pas avoir d'intérêt médical.

Interviewer: Que vous a apporté le séquençage du génome?

A.M.: Il a accéléré une partie de notre travail. L'accessibilité des séquences sur l'Internet fait qu'aujourd'hui déjà les procédures sont accélérées. Il y a quelque temps, un de mes collaborateurs a localisé le gène d'une maladie rare dans une région du génome qui était déjà séquencée. Du coup, là où nous aurions peut-être mis trois ou quatre ans, nous avons mis quinze jours pour identifier le gène et les mutations responsables de la maladie.

Interviewer: Comment les avancées génétiques peuvent-elles faciliter la mise au point de traitements?

A.M.: Le vrai problème aujourd'hui est de transformer toutes les informations qui sont dans le génome en tests génétiques de prédiction ou de prévention des maladies. Il s'agit de savoir exploiter ces connaissances pour trouver les gènes d'autres maladies ou les gènes modificateurs des maladies communes. Mais, il n'y aura pas de remède miracle d'ici cinq ans. On fait des progrès, mais on n'est qu'au début du travail. Il ne faudrait pas que l'incapacité des scientifiques à communiquer clairement, jointe à l'excitation médiatique, aboutisse à faire délirer encore davantage les gens.

5 Students write a short dissertation on the subject of genetic developments.

Les OGM – Danger planétaire?

pages 64–65

Planner

Grammar focus

♦ The subjunctive

Skills focus

♦ Preparing a PowerPoint presentation

Key language

♦ *organisme, génie génétique, génome, une solution, sous-alimentés, espèces, les multinationales agro-chimiques, les agriculteurs, les distributeurs, les fabricants*
♦ *Les scientifiques affirment que… Il est prouvé que… On ne sait pas encore si… Les experts constatent que…*

Resources

♦ Students' Book pages 64–65
♦ CD 2 track 11
♦ Grammar Workbook page 62

1a Students read the comments in the article about GM food and classify the extracts according to whether they talk about the advantages or the disadvantages of GM products or whether they are neutral.

Answers:
avantages: *1, 2*
inconvénients: *4, 5*
neutre: *3*

1b Students suggest a title for each text in the article.

1c Students summarise in French the main arguments for GM products from the article.

1d Students translate texts 1 and 3 of the article.

Answers:
1 *According to scientists, GM products present a solution to world famine. Currently, we count 800 million malnourished people. GM foods give us the possiblity to develop species that are adapted to different conditions, to ensure good crops as well as to feed the planet properly.*
3 *Inter-species gene transfer technologies are extremely new and are growing rapidly. The first genetically modified plant species to be marketed, a late-ripening tomato, only dates back to 1994.*

2a Students look at the cartoon and try to work out its message.

2b Students have to assess whether the groups listed are for or against GM products.

 2c Students check and compare their answers to activity 2b by listening to the report on the subject of GM foods.

CD 2 track 11   **p. 65, activités 2c, 2d et 2e**

Dans toute l'Europe, des associations de protection des consommateurs, et d'environnement, ainsi que les syndicats paysans expriment leurs préoccupations face à l'arrivée des cultures et de l'alimentation transgéniques.

Les plantes génétiquement modifiées commencent à être cultivées en Europe. Elles sont dans nos assiettes avant même qu'on ne sache si elles sont sans risques. Les entreprises qui commercialisent ces plantes, comme certains gouvernements, affirment qu'il n'y a aucun souci à se faire: les Organismes Génétiquement Modifiés ne présentent aucun danger pour notre santé et pour notre environnement. Le problème, c'est que les abeilles elles, ne sont pas au courant.

Il est prouvé que des abeilles peuvent transporter du pollen de plantes transgéniques sur plus de 4,5 km. Dans ces conditions, les distances de sécurité établies autour des cultures d'OGM ne pourront empêcher la pollution génétique. On ne peut empêcher les abeilles de butiner. Cet exemple démontre, s'il en est besoin, l'urgente nécessité de prendre les mesures adéquates pour empêcher la pollution génétique de nos campagnes et de nos assiettes. Car, à l'inverse de certaines pollutions, la pollution génétique ne peut se nettoyer.

Les Amis de la Terre ont constaté que les consommateurs européens ne veulent pas manger

---

d'OGM. De nombreux distributeurs et fabricants se sont engagés à les retirer de leurs produits. Mais comment sait-on qu'on achète un produit sain? Certains produits comme les huiles, la viande et les produits laitiers provenant d'animaux nourris avec des OGM, sont toujours dispensés d'étiquetage. Les produits issus de l'agriculture biologique doivent être garantis sans OGM, mais les agriculteurs ne peuvent protéger leurs cultures et leurs produits de la pollution génétique.

Les multinationales agro-chimiques ont réussi à imposer les OGM, sans tenir compte des dommages qu'ils entraînent à l'environnement et à la santé. Nous en savons trop peu aujourd'hui pour prendre les risques liés à la culture des plantes transgéniques.

2d Students listen to the report again and identify and correct the three incorrect statements.

Answers:

b —*On ne peut pas empêcher la pollution génétique.*

f —*Quelques fabricants européens veulent retirer les OGM de leurs produits.*

g —*la viande provenant d'animaux nourris avec des OGM est toujours dispensée d'étiquetage*

2e Students listen to the report again and note down three problems related to GM foods.

Possible answers:

1 *In use already, even though we don't know if they're safe.*

2 *Cannot prevent genetic pollution.*

3 *Labelling: organic products aren't truly organic in that they can't be guaranteed free from genetic pollution. In addition, some products don't have to be labelled as containing GMO's if they come from animals fed on GM crops.*

3 The class divides into two groups. One group is a multinational company wanting to grow GM crops near a French village and the other group are the villagers who distrust GM crops. Students use the expressions from activities 2a-2d and the key expressions to make their cases.

4 In pairs, students prepare a PowerPoint presentation on the dangers of GM foods.

Zoom examen

page 66

Planner
Grammar focus
♦ The future perfect tense

Resources

♦ Students' Book page 66

The future perfect tense

The activities on the page will help students to talk about what might have happened at some point in the future using the future perfect tense.

1 Students read the opinions of the teenagers on new technologies.

2 Students reread the opinions and answer the questions.

Answers:

question c

A: *Quand on aura connecté tous les appareils ménagers à l'Internet, on aura plus de loisirs – Once we have connected all domestic appliances to the internet, we'll have more free time.*

B: *Peut-être que dans trente ans les écrans géants auront remplacé la télévision à la maison, qu'on ne lira plus de journaux – Perhaps in 30 years large screens will have replaced television in the home and we'll no longer read newspapers.*

C: *Un jour, on verra qu'on aura supprimé le monde réel en faveur du monde virtuel – One day we'll see that we've replaced the real world with the virtual world.*

D: *Dès qu'on aura inventé des jeux vidéo plus avancés, j'en achèterai! – Once we've invented more advanced video games, I'll buy them!*

E: *Aussitôt qu'on se sera habitué à une nouvelle machine, elle sera démodée – As soon as we have got used to a new machine, it will be out of date.*

3 Students complete the sentences, using one verb in the future perfect and one in the future.

Answers:

a *aura développé/pourra*

b *auront surmonté/seront*

c *aura éliminé/se présenteront*

d *auront identifié/auront*

4 Students revise the language and ideas of GM crops on pages 64–65 and rewrite the sentences, adding a clause using the future perfect tense to each one.

5 Students translate the sentences into French, paying careful attention to the tenses.

Answers:

a *Dès que les scientifiques auront identifié le gène responsable d'une maladie, ils pourront chercher le remède.*

b *Aussitôt que les chercheurs auront découvert un traitement nouveau, tout le monde voudra l'obtenir.*

c *Quand le pollen des OGM aura contaminé d'autres champs, il y aura une pollution génétique irréversible.*

d *Quand on aura fait plus de recherches, nous saurons si les OGM sont bons pour la santé.*

Compétences

page 67

Planner

Resources

♦ Students' Book page 67
♦ Copymasters 29 and 30

Complex sentences

This section contains advice on how to use more formal French in order to write or discuss serious matters.

1 Students study the transcript and mark up the style elements described in the section above.

2 Students make a list of the conjunctions and linking phrases that Julien uses in the text.

Answers:
je pense que, afin de, dès qu'on, de toute façon, car, en plus, quant aux, qui

3 Students complete the sentences by adding their own endings.

Grammaire

Impersonal constructions

This section shows how to identify impersonal constructions and other useful structures for stating an opinion or doubt.

4 Students rewrite the sentences using one of the impersonal constructions from the Grammaire section.

5 Students write 40–50 words on three technology-related topics. They try to write no more than two sentences and to use conjunctions and impersonal constructions to make their writing flow.

C29

Students are given more practice in writing longer sentences in Copymaster 29.

C30

Extended reading and listening practice is contained in Copymaster 30.

Au choix

page 68

Planner

Resources

♦ Students' Book page 68
♦ CD 2 track 12

1 Students read the article and decide whether each statement is true, false or not mentioned.

Answers:

a *ND*
b *ND*
c *V*
d *F*
e *F*
f *ND*

2 Students give a short presentation on space tourism.

 S

3 Students listen to the report and select the four correct sentences.

Answers:

a, c, d, g

4 *Students write a text about the pros and cons of new technologies.*

5 Students translate the sentences into French.

Answers:

a *Tout le monde est d'accord pour dire que les nouvelles technologies changeront la vie quotidienne à l'avenir.*

b *Personne ne veut vivre dans un monde où les parents choisissent leur bébé idéal et où on tolère uniquement les gens parfaits.*

c *Les Amis de la Terre insistent sur le fait que la plupart des gens ne souhaitent plus manger d'OGM.*

CD 2 track 12   **p. 68, activité 3**

Et maintenant - des nanotechnologies dans nos assiettes!

Les Amis de la Terre Europe publient aujourd'hui un rapport dans lequel on apprend que des produits nanométriques non testés et potentiellement dangereux peuvent être trouvés, partout en Europe, dans les aliments, les emballages alimentaires et d'autres produits des rayons de supermarchés.

"Nanotechnologies" est le nom donné aux techniques de manipulations de la matière au niveau de l'atome et des molécules. Elles sont utilisées pour la fabrication de compléments nutritifs, de films plastiques alimentaires, d'emballages, mais aussi pour la transformation de la viande. On en trouve également dans des boissons chocolatées, et même dans des produits pour bébés. Malgré les craintes que soulèvent les nano-matériaux à cause de leurs risques de toxicité, on estime que plus de 300 nano-aliments sont déjà sur le marché.

Les nanotechnologies représentent une industrie en pleine croissance. Les géants de l'alimentaire comme Kraft ou Nestlé visent déjà à créer des aliments intelligents, agissant interactivement avec le consommateur pour personnaliser les aliments. Dans leur vision de l'avenir, il serait un jour possible de mettre au point des aliments intelligents qui détecteraient si un individu est allergique à un composant d'un aliment donné et qui pourraient bloquer l'ingrédient en question.

On envisage aussi de fabriquer des emballages intelligents, qui dégagent une dose de molécules de calcium pour les personnes souffrant d'ostéoporose.

Et l'exemple le plus connu de l'aliment du futur, à base de nanotechnologies, c'est sans doute la boisson intelligente de Kraft. C'est une nano-boisson sans goût, contenant des centaines d'arômes dans des nano-capsules. Le consommateur utilise un émetteur de micro-ondes pour déclencher la libération de la couleur, de l'arôme, de la concentration et de la texture selon son goût.

Révisions Unités 5–6

pages 69–70

Planner

Resources

♦ Students' Book pages 69–70
♦ CD 2 track 13

---

1 Students read the article and select the best word to complete each sentence.

Answers:

1 *c*   **2** *a*   **3** *b*   **4** *c*   **5** *a*
6 *b*   **7** *c*   **8** *a*   **9** *c*   **10** *a*

2 Students listen to the report about GM crops in Senegal and decide which five statements are correct.

CD 2 track 13   **p. 70, activité 2**

Abdoulaye Wade est favorable à la culture des OGM au Sénégal.

Le président sénégalais, Abdoulaye Wade, s'est prononcé pour la culture des organismes génétiquement modifiés (OGM) au Sénégal, notamment pour le coton, ironisant, dans une interview publiée samedi par le quotidien français Libération, que son pays n'est pas le gardien de la santé du monde.

"Je viens de donner l'autorisation de la culture de coton OGM. Pour le maïs, on se pose encore la question. Je ne suis pas contre. Les Etats-Unis en mangent depuis longtemps. Or le Sénégal n'est pas le gardien de la santé du monde", a-t-il déclaré.

Les OGM, considérés par certains spécialistes agricoles comme une possibilité de solution alors que plusieurs pays en développement font face à la hausse des prix alimentaires, et notamment du riz, constituent des organismes dont on a modifié l'ensemble de gènes par la technique de la "génie génétique" pour leur conférer une caractéristique ou une propriété nouvelle.

Dans le domaine agricole, les plantes génétiquement modifiées possèdent, entre autres, des propriétés de résistance à des insectes ravageurs des cultures, et peuvent s'adapter à des conditions extrêmes telles que la sécheresse, la salinité, le froid ou les attaques de parasites.

Mais les OGM font face à une forte opposition en Europe notamment à cause des risques qu'ils

---

peuvent entraîner pour la santé humaine et pour l'environnement. Si, aux Etats-Unis, les cultures

OGM sont actuellement importantes, en Europe elles sont marginales et se pratiquent essentiellement dans le cadre d'essais de recherche, strictement réglementés.

En Afrique rares sont encore les pays qui ont adopté une règlementation pour la culture des OGM. Mais la crise alimentaire actuelle mènera sans doute d'autres pays à suivre l'exemple du Sénégal.

Answers:

1, 4, 6, 7, 9

3 Students write 280-350 words in response to a statement about the role of technological innovation in fighting crime.

4 In pairs, students discuss whether research on embryonic cells is justified. Students can use the ideas given for support as well as the ideas on pages 62–63.

5 Students translate the sentences into French.

Answers:

a *Bien que la peine de mort n'existe pas en France depuis plus de vingt-cinq ans, certains criminels préféreraient mourir plutôt que passer toute leur vie en prison.*

b *Les scientifiques espèrent que le clonage nous aidera à guérir les maladies comme le sida et le cancer.*

c *Dans beaucoup de villes européennes, la violence fait maintenant partie de la vie de tous les jours/de la vie quotidienne et trop de jeunes portent une arme afin de pouvoir/pour se défendre.*

d *Pour que le monde entier puisse profiter des avancées technologiques, nous devrons trouver de nouvelles sources d'énergie.*

Unité 7 La littérature et les arts

Unit objectives

By the end of this unit students will be able to:

- Talk about the life, literature and philosophy of Albert Camus
- Talk about the life and work of François Truffaut
- Talk about the history and characteristics of impressionist painting

Grammar

By the end of this unit students will be able to:

- Use the past historic

Skills

By the end of this unit students will be able to:

- Discuss and write about literature and the arts

Resources

- Students' Book page 71

page 71

1 Students group the words into three categories.

2a Students put the seven art forms in order of personal preference and then compare their answers with a partner.

2b In pairs, students suggest another three 21st-century art forms and present them to the class.

3 Students read and answer the quiz about the arts in France.

Answers:
1 *c (3 166 509 visitors in 2007). For latest figures, go to Musée d'Orsay website www.musee-orsay.fr*
2 *a*
3 *b*
4 *c*
5 *c*
6 *b (completed 1989)*
7 *b*
8 *c*

Albert Camus – *La Peste*

pages 72–73

Planner

Grammar focus

- The past historic/Le passé simple

Skills focus

- Describing literature

Key language

- *l'auteur, extrait, roman, un style, une atmosphère*
- *évoquer, créer, utiliser*

Resources

- Students' Book pages 72–73
- CD 2 track 14
- Grammar Workbook page 52
- Copymaster 31

1a Students read the extract from *La Peste* and complete the sentences. Students are reminded to use the present tense when referring to books or films.

Possible answers:
a *il y a un rat mort sur le palier*
b *meurt devant lui*
c *il rejette du sang*
d *une douzaine de rats morts*
e *ils souffrent beaucoup*

1b Students explain in English the meaning of the three underlined sentences in the text.

Possible answers:
a *the rat moves with difficulty because it is sick; its skin is damp with sweat*
b *the caretaker thinks that the rats are a joke, left in the corridor to annoy him*
c *factories and warehouses have been overrun with rats which have died and their bodies have been thrown out into the street*

1c Students translate the 4th paragraph of the extract into English.

2a Students read the statements and, in pairs, decide if they agree with them. Students use quotes from the text to help them.

2b Students read Camus' biography and look for parallels between it and the text.

Possible answers:
l'Algérie, le théâtre: le drame, la tension, journaliste: le style sobre, les faits précis

Students can choose between the following activities:

3a Students pretend they are a journalist reporting on the rat problem. They write an article, including headline, using a popular style.

3b In pairs, students prepare a radio report on the rat problem and present it to the class. Students are warned not to use the simple perfect but rather the perfect tense.

 4a Students listen to Year 13 students talking about *La Peste* and answer the questions in English.

Answers:

a *He says that what struck him most was how realistic the characters and settings are. He portrays ordinary situations and people.*

b *The reader identifies with the characters and their experiences and is drawn into the story.*

c *He mentions him growing up in a poor part of Algiers and him experiencing the Occupation during the Second World War. This makes his writing feel very real.*

d *The fact that the novel is an allegory (has a hidden meaning).*

e *The rise of facism and the Second World War.*

f *It was published in 1947. The author was well-known for his anti-facist beliefs.*

g *His philosopy and his sense of the absurd.*

h *He's an atheist. (He says that God doesn't exist.)*

i *Camus says to make the most of the life we have as we only get one chance.*

j *The characters face the choice between abandoning themselves to the Plague, admit defeat, view it as a punishment from God or they can find their dignity and freedom by revolting and through solidarity.*

CD 2 track 14   **p. 73, activités 4a et 4b**

Antoine

Ce qui m'a frappé dans La Peste, c'est son caractère réaliste, presque documentaire. Camus évite les scènes spectaculaires et les personnages exceptionnels, il représente les situations et les gens ordinaires. Dès le début, le lecteur s'identifie aux personnages et à leurs expériences souvent banales. On se demande toujours "Et si c'était moi? Que ferais-je?" N'oublions pas que Camus lui-même a grandi dans un quartier pauvre d'Alger et qu'il décrit un milieu qu'il connaît bien. En plus, il a vécu l'Occupation pendant la Deuxième Guerre mondiale, et il a observé les réactions des gens qui vivent dans une région coupée du monde extérieur.

Caroline

A mon avis, La Peste, c'est avant tout une allégorie, et c'est cette interprétation qui m'intéresse le plus. Camus présente, à travers le sort de quelques personnages à première vue ordinaires, l'apparition, le développement et l'extinction d'une épidémie dans une cité anodine. Le fait qu'il a publié ce roman en 1947 nous indique sans aucun doute qu'il s'agit d'une réaction au fascisme et à la Deuxième Guerre mondiale. Bien que le fascisme ne soit pas nommé, l'engagement humanitaire anti-fasciste de l'auteur est suffisamment connu pour qu'on puisse interpréter son œuvre comme une réaction à la situation vécue. C'est l'identification de cette épidémie avec le fascisme et la guerre qui m'intéresse le plus.

Léon

Ce qui m'intéresse le plus chez Camus, c'est sa philosophie, et surtout sa conception de l'absurde. Pour Camus, Dieu n'existe pas, donc notre vie n'a pas de sens. L'homme est sa propre fin. Mais Camus ne désespère pas, au contraire, il nous explique pourquoi la vie vaut la peine d'être vécue. Il nous dit "Bon, si tu veux être quelque chose, c'est dans cette vie. Après, il n'y aura rien. Alors, profite au maximum de ta vie. C'est ainsi que tu peux dépasser l'absurdité de ton destin, en donnant un sens à ta vie." C'est exactement ce que font les personnages dans La Peste. Ils ont le choix: ils peuvent s'abandonner à la peste, s'avouer vaincus, y voir la main d'un dieu châtiant on ne sait quel péché, ou bien retrouver leur dignité et leur liberté par la révolte et la solidarité.

 4b Students listen to the three speakers again and summarise what is said about three given topic areas.

Grammaire

The past historic

This section introduces students to the past historic and explains its usage in formal, historical and literary texts.

A Students copy and complete the chart and add other past historic verbs from the text.

Answers:

(all words in bold in the text:) il buta, il écarta, il descendit, vint, il retourna, il vit, il s'arrêta, il sembla

---

C31

Extended reading practice relating to a work of literature is contained in Copymaster 31.

François Truffaut et la Nouvelle Vague

pages 74–75

Planner

Grammar focus
♦ The past historic/Le passé simple

Skills focus
♦ Writing about the life and work of a French film director

Key language
♦ *l'action se déroule, cinéaste, l'enfance, le tournage, réalisateurs*
♦ *traiter de, jouer un rôle, tourner un film, gagner un prix, raconter une histoire, commencer une carrière*

Resources
♦ Students' Book pages 74–75
♦ CD 2 track 15
♦ Grammar Workbook page 52
♦ Copymasters 32 and 33

---

1 Students read the texts about François Truffaut and his films and match a film from the text to each statement.

Answers:

a *Les 400 coups*

b *Jules et Jim*

c *La nuit américaine*

d *Le dernier métro*

e *Tirez sur le pianiste*

2 In pairs, students reread the biography and ask each other questions (using the perfect tense) about Truffaut's life and work.

3 Vocabulary-building activity: Students read the text and find synonyms for the verbs listed.

Answers:

a *incarner, interpréter*

b *réaliser, monter*

c *remporter*

d *narrer*

e *débuter*

Grammaire

The past historic

Students review the past historic.

A Students study the texts on page 74 and identify which ones use the past historic as well as explain why.

B Students add the past historic verb forms from the texts to the table they started on page 73.

C Using the texts on page 74, students translate the sentences into French, replacing the past historic forms with the perfect tense.

Answers:

1 *Il s'est refugié dans la lecture.*

2 *Il a fait la connaissance d'autres jeunes cinéastes.*

3 *Ce film a obtenu un succès considérable.*

4 *Il a remporté l'Oscar du meilleur film étranger.*

 4a Students listen to the first part of a report on the "Nouvelle Vague" and correct the incorrect sentences.

Answers:

a *étaient originaux/nouveaux*

b *n'a pas coûté cher*

d *un magnétophone portable et une caméra légère et silencieuse*

e *au tournage d'une scène de nuit en plein jour*

CD 2 track 15   **p. 75, activités 4a, 4b et 4c**

1

Il y a cinquante ans, une équipe de très jeunes réalisateurs nommés Godard, Truffaut, Resnais et Chabrol, critiques aux *Cahiers du cinéma*, ont déclaré la guerre aux films traditionnels. Ils se sont mis à tourner des films différents, nouveaux, tant par leur technique que par leur sujet.

En tournant rapidement et avec peu de moyens, la jeune équipe des Cahiers descend dans la rue, montrant des extérieurs et des intérieurs naturels. C'est bien cette exigence de liberté que revendique d'abord la Nouvelle Vague, en réaction contre les films de studio, tournés en décors. On se débarrasse des artifices pour accéder à davantage de vérité: les Champs-Elysées en noir et blanc, les néons, le jazz et les cafés de Montparnasse. L'invention du magnétophone portable et celle de la caméra 16mm, légère et silencieuse, favorisent les tournages en extérieur.

Cette rupture entre cinéma de studio et cinéma extérieur est illustrée notamment dans *La Nuit américaine* de François Truffaut: le film nous montre la réalisation d'un film avec caméra sur grue et décalages. On voit le tournage d'une scène d'hiver en plein été et d'une scène de nuit en plein jour, la fameuse "nuit américaine".

2

La Nouvelle Vague ne veut plus faire semblant. On laisse désormais la part belle à l'improvisation, à l'inattendu, puisque les équipes tournent à la sauvage, sans figuration. Les jeunes réalisateurs brisent les conventions pour mieux représenter la réalité de la vie de tous les jours. L'éclairage se fait plus naturel, plus léger pour pouvoir suivre le mouvement. De jeunes acteurs pour la plupart inconnus incarnent des personnages très naturels, évitant les stéréotypes psychologiques. Comme dans la vie, certains dialogues sont inaudibles à cause de la radio ou des bruits de la circulation. Quelquefois, un acteur s'adresse directement aux spectateurs via la caméra; on se rappelle la longue confession du jeune héros à la psychologue qui conclut *Les 400 coups*. On veut désormais montrer directement les choses, les actions et les personnages, avec le minimum de détour.

3

Que reste-t-il, cinquante ans après, des beaux jours de la Nouvelle Vague? On peut estimer qu'elle a été une rupture fondatrice, qui a apporté un coup de sang au cinéma et a influencé par la suite des réalisateurs en France et ailleurs. Les jeunes cinéastes ont traité des thèmes comme l'amour, la délinquance, la mort, dans le contexte de la vie quotidienne des gens normaux. Ils ont développé ce qu'on appelle "le cinéma à la première personne", un cinéma très personnel, qui montre les gens tels qu'ils sont, sans les juger. Mais le véritable bouleversement a été technique, de la légèreté de la caméra à la façon de tourner dans les rues. La Nouvelle Vague laisse une empreinte indélébile sur le cinéma français et international.

4b Students listen to the second part of the report and write down five new techniques which characterise the "Nouvelle Vague".

Answers:

1 *le tournage à la sauvage, sans figuration*
2 *l'éclairage plus naturel, plus léger*
3 *les jeunes acteurs inconnus*
4 *les dialogues inaudibles à cause de la radio ou des bruits de la circulation*
5 *un acteur s'adresse directement aux spectateurs via la caméra*

4c Students listen to the third part of the report and write about the importance of the 'Nouvelle Vague' in relation to the listed topics.

Answers:

a *ils ont traité des thèmes comme l'amour, la délinquance, la mort, dans le contexte de la vie quotidienne des gens normaux*

b *ils montrent les gens tels qu'ils sont, sans les juger*
c *la légèreté de la caméra, le tournage dans les rues*

5 Students use the bullet points and write 250-300 words about the various influences in Truffaut's films.

C32

Extended reading practice relating to classical music is contained in Copymaster 32.

C33

Extended listening practice relating to dance is contained in Copymaster 33.

L'impressionnisme

pages 76–77

Planner

Grammar focus

♦ The past historic

Skills focus

♦ Writing about literature and the arts

Key language

♦ *cette œuvre, ce tableau, un paysage, la lumière, les effets, une atmosphère, un peintre*

Resources

♦ Students' Book pages 76–77
♦ CD 2 track 16
♦ Grammar Workbook page 52

1a Students match each painting to its title and corresponding text.

Answers:

1 *B, Bal au moulin de la Galette, Montmartre*
2 *C, La Gare Saint-Lazare*
3 *D, Le Berceau*
4 *A, Gelée Blanche*

1b Students answer the questions, matching a painter to a subject.

Answers:

a *Claude Monet*
b *Camille Pissarro*

c   *Berthe Morisot*

d   *Renoir*

1c   Students translate the four underlined sentences in the texts.

Answers:

1   *This painting, anchored as it is in parisian life, contemporary and with an innovative style, is one of the masterpieces of early impressionism.*

2   *After several years spent painting the countryside, Claude Monet moved to Paris and developed an interest in urban landscapes.*

3   *It was the first appearance of a maternal image in the work of Morisot, a subject which was to become one of her favourites.*

4   *The person carrying a burden appears to be equally crushed by the weight of this winter landscape.*

2a   Vocabulary extension: Students read the texts and find the adjectives.

Answers:

a   *véhémente, joyeuse*

b   *urbain, compact*

c   *naturelle, artificielle*

d   *changeants de la luminosité, la mobilité des sujets, colorés, lumineux, la densité*

2b   Students work in pairs and suggest at least one more adjective to describe each noun. The pairs compare their ideas with the class.

3   Students choose their favourite painting and discuss their choice with a partner.

4a   Students read the text. Working in pairs they find an example of each of the key aspects of impressionism in one of the four paintings on page 76. They then share their ideas with the class.

4b   Students translate the sentences using the perfect tense.

Answers:

a   *Les peintres impressionnistes ont délaissé les sujets historiques ou mythologiques et ont recherché des thèmes dans le monde de la nature et dans le monde quotidien.*

b   *Les peintres ont préféré peindre à l'extérieur et ils ont travaillé rapidement, en se servant des couleurs riches et vibrantes.*

c   *Ils ont vite peint, visant à capter une atmosphère, une impression fugitive.*

Compétences

This section recaps that the present tense is used to discuss events or atmosphere in literature, films or art.

A   Students study the texts about impressionism and identify the tenses used.

Answers:

present tense, future (text 3), perfect tense (text 4)

B   Students are referred to activity 5a and are asked to identify the main tense used in the interview.

Answer:

the present tense

5a   Students listen to the interview about the French painter, Berthe Morisot, and select the five correct statements.

Answers:

b, c, d, g, i

CD 2 track 16   **p. 77, activités 5a, 5b et 5c**

- A une époque où la société était dominée par les hommes, quelques femmes avant-gardistes et combatives ont évolué aux côtés des peintres impressionnistes. La plus célèbre est Berthe Morisot, mais que savons-nous de la vie de cette artiste extraordinaire? J'ai posé quelques questions à son biographe.

- Parlez-nous un peu de l'enfance et de la jeunesse de Berthe.
- Bon, alors, Berthe Morisot naît en 1841 dans une famille bourgeoise aisée de province, qui s'installe ensuite à Paris. Très tôt, elle témoigne d'un certain don et d'un vif intérêt pour la peinture. A l'âge de seize ans, elle prend ses premiers cours de dessin avec ses deux sœurs; des leçons privées, car l'Ecole des Beaux-Arts n'acceptera les femmes qu'à partir de 1897, deux ans après sa mort.

- Comment son talent se développe-t-il?
- Berthe et sa sœur Edma passent beaucoup de temps à copier les chefs-d'œuvre du Louvre, mais elles rêvent déjà de paysages, d'espace et surtout de s'éloigner de la peinture d'atelier. Elles s'appliquent donc à la peinture en plein air. Elles connaissent du succès; dès 1864, Berthe et Edma exposent régulièrement des paysages à Paris. Un critique de l'époque relève "un délicat sentiment de la couleur et de la lumière" dans les tableaux de Berthe.

- Et quelle est l'attitude des parents?
- Les Morisot ont l'esprit suffisamment ouvert pour encourager l'enthousiasme de leurs filles pour la peinture. En 1865, ils font construire un atelier pour Berthe et Edma dans le jardin de la maison. En plus, ils reçoivent chaque semaine de nombreux artistes, peintres et musiciens à la maison, source d'enrichissement exceptionnelle pour les enfants Morisot.

- Comment Berthe, s'est-elle associée au mouvement impressionniste?
- Dès sa jeunesse, elle s'intéresse à la nouvelle peinture. En 1868, elle fait la connaissance d'Edouard Manet, le plus moderne et le plus scandaleux des peintres de son époque. Captivée par sa personnalité et son œuvre, elle devient son modèle, celui que Manet peindra le plus.

- Et sa sœur?
- Edma se marie et abandonne la peinture. Berthe, par contre, consacre toutes ses journées à la peinture et fréquente de plus en plus les artistes.

- Elle participe à la première exposition des peintures impressionnistes de 1874?
- Mais oui, bien sûr. Berthe y expose plusieurs œuvres, parmi lesquelles *Le Berceau* et *La Lecture*. Rappelez-vous que cette exposition choque tout Paris. Les critiques s'enragent, mais en un mois plus de trois mille personnes vont voir ces nouvelles peintures scandaleuses.

- Et que fait Berthe Morisot ensuite?
- Pendant les années suivantes, Berthe est la seule femme qui présente régulièrement ses toiles aux expositions impressionnistes. Elle passe beaucoup de temps à peindre, et vit entourée d'artistes et d'écrivains. Elle épouse le frère de son ami Edouard Manet qui lui aussi est peintre amateur. En 1892, elle a sa première exposition personnelle, qui rencontre une véritable reconnaissance tant auprès des artistes que des amateurs.

- Quels sujets artistiques préfère-t-elle?
- Ses sujets favoris sont principalement les scènes du bonheur familial, les portraits de membres de sa famille (en particulier de sa fille Julie), dans lesquels elle privilégie la légèreté et les couleurs claires.

- Pourquoi admirez-vous Berthe Morisot?
- Parce qu'elle n'était pas du tout une femme de son époque. Elle s'est engagée à fond avec les impressionnistes, elle a eu la force de braver les pressions sociales et d'aller jusqu'au bout de son rêve de devenir une grande artiste.

 5b Students listen to the interview again and correct the incorrect sentences from activity 5a.

Answers:

a *A l'âge de 16 ans, elle prend ses premiers cours de dessin.*

e *Après le mariage de sa sœur, Berthe consacre toutes ses journées à la peinture et fréquente de plus en plus d'artistes.*

f *Berthe expose plusieurs œuvres à l'exposition impressionniste de 1874.*

h *Son exposition personnelle rencontre une véritable reconnaissance auprès des artistes et des amateurs.*

j *Berthe allait jusqu'au bout de son rêve de devenir une grande artiste.*

 5c Students listen to the interview again and note down one extra detail for the five sentences.

6 Students work in groups to prepare a PowerPoint presentation on a French impressionist painter, researching the aspects listed.

Zoom examen

page 78

> ### Planner
>
> *Grammar focus*
> ♦ The past historic/Le passé simple
>
> *Resources*
> ♦ Students' Book page 78

Students are reminded of the function of the past historic and how to identify it.

1 Students study the sentences a-o and write down all the verbs in the past historic.

Answers:

a *fut construit*
b *rentrâmes*
c *mourut*
d *parlèrent*
e *prit/fit/s'en alla*
f *comprirent/eurent*
g *vis/reconnus*
h *finit*
i *se regardèrent*
j *se mit*
k *choisîmes/paya*
l *vint/but*
m *montai/écrivis*
n *sut*
o *dut*

2 Students translate the sentences into English.

Answers:

a *The castle was built in 1244.*
b *We went back home.*
d *François Truffaut died in 1984.*
e *He had breakfast early, packed his bags and then he left.*
f *Suddenly they understood everything and they were afraid.*

g *I saw her in the distance and I recognised her straightaway.*

h *The war finished in 1945.*

i *The two actors looked at each other.*

j *The child started to cry.*

k *We chose a present and my companion paid.*

l *She sat down and drank her coffee in silence.*

m *I went up to my room and wrote him a long letter.*

n *At that moment he knew that she no longer loved him.*

o *She had to give up her career.*

3a Students look at the sentences again and write down two verbs which could either be in the present tense or the past historic.

Answers:

la guerre finit – je vis

3b Students look at their answers to activity 3a and decide which verb could be the present tense of one verb or the past historic of a different verb.

Answer:

je vis could be present of vivre, I live, or past historic of voir, I saw

Compétences

page 79

Planner

Resources

♦ Students' Book page 79
♦ Copymaster 34

Discussing/writing about literature and the arts

This section develops skills covered so far and outlines how to research, plan and deliver an oral presentation or a written essay on a literary or artistic topic.

1a Students find the French for the English terms.

Answers:

a *l'écrivain*

b *l'auteur*

c *le romancier*

d *l'auteur dramatique*

e *le réalisateur*

f *le peintre*

g *l'artiste*

h *le critique*

1b Students add any other nouns to describe an artist to the list.

2a Students copy the words in activity 1b and check their meaning in a bilingual dictionary.

2b Students write the 3rd person singular of each of the verbs in activity 1b.

Answers:

décrit, dépeint, crée, évoque, représente, utilise, aborde, traite, se sert de, raconte, éveille, reflète, insiste sur, souligne le fait que

2c Students complete the sentences with the correct word from activity 2b.

Answers:

a *aborde/traite*

b *décrit/représente*

c *raconte*

d *crée/dépeint*

e *éveille*

3a Students read the statements and decide whether they refer to a work of literature, a play or film, a painting, or any combination.

Answers:

1 *a*   2 *b*   3 *c*   4 *d*

3b Students translate the sentences into English.

Answers:

1 *The reader feels pity for these poor people, victims of their fate.*

2 *From the first scene, we identify with the hero.*

3 *If we look at the canvas close up, we have the feeling of it being totally abstract.*

4 *The people watching recognised their own faults in the characters.*

4 Students use the framework given to write sentences about an author or an artist of their choice.

5 Students complete the sentences with an appropriate phrase from the box.

Answers:

a *De nos jours, on reconnaît que ...*

b *Selon les critiques de leur temps, ...*

c *Ce qui m'intéresse le plus chez Camus, c'est qu'...*

d *On pourrait dire que ...*

C34

Additional reading and writing practice on cultural topics is provided by Copymaster 34.

Au choix

page 80

Planner

Resources

♦ Students' Book page 80

◆ CD 2 track 17

◆ Copymaster 35

1 Students read the article about the French novelist and dramatist and decide whether the statements are true, false or not mentioned in the text.

Answers:

a *V*	b *ND*	c *F*	d *ND*	e *ND*
f *F*	g *F*	h *V*	i *ND*	j *V*

2 Students listen to the report and complete the sentences with the correct word from the box.

Answers:

a *scènes*

b *amateur*

c *valeurs*

d *prix*

e *problèmes*

f *trouble*

g *couleurs*

h *longtemps*

i *comique*

j *thèmes*

Comment expliquer le succès d'*Art?* C'est une pièce à la fois drôle et dérangeante, où les disputes esthétiques autour du tableau blanc dégénèrent en un crescendo hilarant et féroce. Ce sont l'universalité des thèmes, l'humanité des personnages et la virtuosité des dialogues, qui font de cette pièce un classique de la comédie de mœurs.

---

3 In pairs, students use the information in the text to prepare a radio interview with Yasmina Reza which they then present to the class.

4 Students write 300 words about the most influential artist covered in the unit.

C35

Students can choose from additional activities relating to architecture and musicals in Copymaster 35.

CD 2 track 17 p. 80, activité 2

Art est la pièce à succès qui a lancé Yasmina Reza. Les personnages principaux sont trois amis, Serge, Marc et Yvan, dont chacun a un caractère très différent. Serge est un médecin dermatologue, qui aime l'art moderne. Il vient d'acheter pour une somme exorbitante ce qu'il considère comme un chef-d'œuvre de l'art contemporain: une toile blanche!

Marc, ingénieur dans l'aéronautique, a des goûts plus traditionnels et ne comprend pas que son ami puisse acheter "cette merde" à deux cent mille francs. Quant à Yvan, il aimerait bien ne contrarier aucun de ses deux précieux amis. Ayant échoué dans la vie professionnelle et affective, il semble n'avoir que ces deux amis de précieux. Pendant le débat sur l'Art moderne qui s'ensuit, les trois amis s'aperçoivent qu'ils ne se connaissent pas vraiment...

Ecoutez maintenant un extrait de la pièce. C'est Marc qui parle.

"Mon ami Serge a acheté un tableau. C'est une toile d'environ un mètre soixante sur un mètre vingt, peinte en blanc. Le fond est blanc et si on cligne des yeux, on peut apercevoir de fins liserés blancs transversaux. Mon ami Serge est un ami depuis longtemps. C'est un garçon qui a bien réussi, il est médecin dermatologue et il aime l'art. Lundi, je suis allé voir le tableau que Serge avait acquis samedi mais qu'il convoitait depuis plusieurs mois. Un tableau blanc, avec des liserés blancs."

Unité 8 Patrie, Europe et francophonie

Unit objectives

By the end of this unit students will be able to:
- Discuss francophonie and France's place in the EU
- Discuss the French colonial empire
- Discuss French values, beliefs and traditions

Grammar

By the end of this unit students will be able to:
- Use all verb tenses better

Skills

By the end of this unit students will be able to:
- Provide better quality answers to questions in French

Resources

- Student's Book page 81
- CD 3 track 1

page 81

1 Students get into small groups and discuss France's place in the world using the topics for inspiration.

2 Students listen to the six people and choose the correct sentence from activity 1.

Answers:

1 d **2** f **3** d **4** b **5** a **6** c

CD 3 track 1	p. 81, activité 2

1

Bon, je sais que nous n'avons pas réussi à décrocher les jeux olympiques pour 2012, mais nous avons quand même des disciplines sportives où nous pouvons donner l'exemple. Et nos infrastructures sont bien meilleures que dans certains pays voisins. On sait fabriquer des champions, en France.

2

Je crois savoir que plus de 70 millions d'étrangers viennent nous rendre visite chaque année, quelque chose comme ça. Pas mal, non? Ça doit être parce que non seulement on a les paysages, mais en plus on sait les conserver. Pas toujours, mais on est quand même assez écolos en France. Sans parler du soleil, de la gastronomie et du bon vin.

3

Bon, déjà, je pense qu'on ne peut pas parler de la place de la France dans le monde sans parler de son activité cinématographique. Je sais que c'est là une industrie qui connaît parfois des moments difficiles, mais je vais tous les ans au festival de Cannes pour mon travail, et je peux vous assurer que les étrangers sont là avec leur carnet de chèque. C'était génial en 2008 quand un film à budget modeste, "Entre les murs", a obtenu la palme d'or. Pas mal, dans un festival international!

4

Je sais que l'histoire n'est pas très à la mode et que la France n'a pas toujours participé à des événements très glorieux, mais je tiens à parler du rôle de la francophonie qui nous permet d'entretenir des liens avec nos anciennes colonies et qui contribue à la promotion et à la protection de notre langue à la fois nationale et internationale.

5

La place de la France dans le monde? Ben, évidemment, la France était autrefois une puissance coloniale... internationale... mais devant des puissances plus récentes comme l'Inde, la Chine ou le Brésil, je crois que son appartenance à l'UE joue un rôle fondamental. Sans cette appartenance, de nos jours la France aurait des difficultés à maintenir son influence au niveau international.

6

A mon avis, on ne peut pas parler de la place de la France dans le monde sans parler des principes républicains, déjà, mais à cela j'aimerais ajouter la décision prise par la France il y a plus de 100 ans de séparer l'Eglise de l'Etat. C'est une opinion très personnelle, bien sûr, mais pour moi cette décision a été un signe de progrès.

La francophonie

pages 82–83

Planner

Grammar focus
- Conjunctions

Skills focus

♦ Researching francophonie on the Internet

Key language

♦ *langue officielle, langue maternelle, langue de culture, la population francophone, adhésion, la mondialisation*

Resources

♦ Students' Book pages 82–83
♦ CD 3 track 2
♦ Grammar Workbook page 19
♦ Copymasters 36 and 39

1 Students skim-read the article on page 82 and match each statement to a paragraph.

Answers:

a *3*   **b** *1*   **c** *4*   **d** *5*   **e** *2*   **f** *3*

2 Students select a description which best summarises the text. They note their reasons.

Answers:

b - *justification:*
  - *questions au début des paragraphes 1 et 3;*
  - *l'auteur s'adressant directement au lecteur au début du 2ème paragraphe;*
  - *l'usage de «demanderez-vous» dans le paragraphe 3;*
  - *l'usage de l'impératif à la 1ère personne du pluriel au début du paragraphe 4.*

3 Students find synonyms in the text for the words listed.

Answers:

a *ainsi*

b *tandis que*

c *toutefois*

d *en fait*

e *cherchant à*

f *tels que*

g *vu*

h *au niveau*

i *autour de*

C36

For additional activities on the text about Francophonie, please refer to Copymaster 36.

4 Students listen to four young francophones and note down details about them.

Answers:

1

Nom	Khaled
Domicile	*Algérie (Alger)*
La francophonie dans la région	*la majorité des gens parlent à la fois français et arabe*
Les aspects positifs mentionnés	*Ça permet de lire et d'échanger des informations, ça permet aussi d'avoir accès à une culture différente*
Les aspects négatifs mentionnés	*ça peut être dangereux, de nombreux journalistes et artistes francophones ont été tués et beaucoup ont été obligés de s'exiler en France*

2

Nom	*Irène*
Domicile	*Québec (Montréal)*
La francophonie dans la région	*la majorité des habitants sont francophones et le français est la langue officielle de la province*
Les aspects positifs mentionnés	*une identité unique*
Les aspects négatifs mentionnés	*on est très loin de la majorité des pays francophones de la planète, sur un continent où la majorité des gens ont l'anglais comme langue maternelle*

3

Nom	*Jean-Nicolas*
Domicile	*Haïti (Port-au-Prince)*
La francophonie dans la région	*un quart de la population de mon pays est francophone*
Les aspects positifs mentionnés	*pouvoir aller un jour travailler en France et échapper à la pauvreté de mon pays*
Les aspects négatifs mentionnés	*un peu isolé, dans une minorité, il faut utiliser plusieurs langues pour s'adresser à différentes personnes, et ça dans un si petit pays*

4

Nom	*Lucie*
Domicile	*Belgique (Ciney)*
La francophonie dans la région	*on parle essentiellement deux langues: le français et le flamand*
Les aspects positifs mentionnés	*est un atout important parce que je peux communiquer avec des millions de personnes qui parlent la même langue que moi dans le monde, les francophones sont majoritaires*
Les aspects négatifs mentionnés	*deux langues divisent vraiment la population*

CD 3 track 2	p.83, activité 4

1

Je m'appelle Khaled et j'habite en Algérie, dans la banlieue d'Alger où la majorité des gens parlent à la fois français et arabe. Etre francophone en Algérie, ça peut être un choix politique contre l'intégrisme musulman, et par conséquent ça peut être dangereux. Pendant pas mal d'années, de nombreux journalistes et artistes francophones ont été tués et beaucoup ont été obligés de s'exiler en France. Malgré tout, il ne faut pas regarder uniquement le côté négatif des choses. Parler français permet de lire et d'échanger des informations, sur les Droits de l'Homme par exemple, et ça permet aussi d'avoir accès à une culture différente.

2

Je m'appelle Irène et j'habite à Montréal, au Québec. Ici, la majorité des habitants sont francophones et le français est la langue officielle de la province, donc pas de problèmes pour moi. Ce que je trouve super au Québec, c'est qu'on est différents du reste du Canada. On a une identité unique. Le seul désavantage que je vois, c'est qu'on est très loin de la majorité des pays francophones de la planète, sur un continent où la majorité des gens ont l'anglais comme langue maternelle. Et moi, je ne parle pas très bien anglais.

3

Je m'appelle Jean-Nicolas et j'habite à Port-au-Prince, en Haïti. Environ un quart de la population de mon pays est francophone et je me sens parfois un peu isolé, dans une minorité. L'avantage, c'est que j'espère pouvoir aller un jour travailler en France et échapper à la pauvreté de mon pays. L'ennui, par contre, c'est qu'ici il faut utiliser plusieurs langues pour s'adresser à différentes personnes, et ça dans un si petit pays. Personnellement, je parle à la fois français et créole. Je suis bien obligé.

4

Je m'appelle Lucie et j'habite à Ciney, en Belgique. C'est un pays où l'on parle essentiellement deux langues: le français et le flamand. Dans ma région, les francophones sont majoritaires. Heureusement, parce que je ne parle pas un mot de flamand! Je pense que nos deux langues divisent vraiment la population. Pour moi, être francophone est un atout important parce que je peux communiquer avec des millions de personnes qui parlent la même langue que moi à travers le monde.

5 Students use the notes given to write a text about Li.

Possible answer:
Je m'appelle Li et j'habite à Hô Chi MinhVille au Vietnam. Ici, environ 500 000 personnes sont francophones. J'adore le français comme langue et un jour je voudrais devenir professeur de français. L'histoire de nos deux pays est un aspect plutôt négatif. Le Vietnam était autrefois sous le protectorat de la France, mais on a lutté contre les Français pour devenir un pays indépendant. En plus, les francophones sont minoritaires, donc il faut bien parler au moins deux langues, le français et le vietnamien.

6 Students choose between two activities. Students either research the *OIF* and prepare a written text, an oral presentation or an interview about their activities. Alternatively, students plan their ideal "French language week".

C39

For Grammar revision relating to the article on Francophonie, please refer to Copymaster 39.

De l'empire colonial à l'UE

pages 84–85

Planner

Grammar focus

♦ The future tense

Skills focus

♦ Giving opinions

Key language

♦ *la colonisation, coloniser, annexer, toucher, lutter, des obstacles géographiques, des territoires côtiers, les continents*

♦ *Je ne savais pas que… J'ai l'impression que… Est-ce que vous ne trouvez pas… ? A mon avis, la France aurait du… Je trouve surprenant que… Si la France (n')avait (pas)… Pourquoi la France (n')a-t-elle (pas)… ?*

Resources

♦ Students' Book pages 84–85
♦ CD 3 track 3
♦ Grammar Workbook page 54
♦ Copymaster 37

1a Students listen to the interview about the French empire and note down the years mentioned.

Answers:

1608, 1682, 1718, 1763, 1635, 1642, 1686, 1674

CD 3 track 3   **p. 84, activités 1a et 1b**

- Pour commencer, comment s'est construit l'empire colonial français?

- Alors, ça s'est fait en deux grandes vagues: la première aux 17ème et 18ème siècles, et la deuxième au 19ème siècle.

- Donc, la première vague a concerné l'Amérique?

- Eh bien, en effet, au début du 17ème siècle, des colons français se sont installés en Amérique du Nord, où ils ont fondé en 1608 la province du Québec, qui aujourd'hui fait partie du Canada. Ils se sont ensuite déplacés vers l'intérieur du continent américain, jusqu'au Golfe du Mexique, occupant ainsi toute une région le long de la côte est.

- Et la Louisiane en faisait partie?

- Effectivement, la Louisiane s'est retrouvée sous occupation française en 1682. Un peu plus tard, en 1718, a été créé le port de la Nouvelle-Orléans, choisi comme capitale de la colonie. Enfin, en 1763, de petites îles situées au large de la côte est du Canada sont devenues elles aussi françaises.

- C'est tout pour la première vague?

- Non, non, il ne faut pas oublier les Antilles. Les Français se sont emparés de la Guadeloupe en 1635 et de la Martinique trois ans plus tard. Ils ont ensuite saisi la Réunion, dans l'océan Indien, en 1642 et la Guyane, une région côtière de l'Amérique du Sud, l'année suivante.

- Et qu'est-ce qui s'est passé en Inde?

- Eh bien, cinq petits territoires côtiers, dont Pondichéry et Chandernagor, ont été annexés par la France entre 1674 et 1686, donc bien avant la colonisation de l'Inde par la Grande-Bretagne.

1b Students listen to the interview again and decide whether the statements are true, false or not mentioned.

Answers:

a *ND* **b** *ND* **c** *V* **d** *F* **e** *F* **f** *F*

2 Students read the article about the second wave of colonisation and pick out the synonyms from the text.

Answers:

a *a eu lieu*

b *on dit*

c *commencé*

d *toutefois*

e *ainsi que*

f *il s'agit ... d'*

g *durant*

h *du côté*

i *effectivement*

j *y compris*

3 In pairs, students discuss French colonisation, using the sentence openers for support.

4 Students read the article about the European Union and decide whether the statements are true or false.

Answers:

a *faux*

b *faux*

c *faux*

d *vrai*

e *faux*

f *faux*

g *vrai*

5 Students suggest a title for each of the four paragraphs.

Possible answers:

L'agrandissement de l'UE

La libre circulation: mythes et réalités

Réalisations et projets

Le Traité de Lisbonne

6 In pairs, students prepare a presentation on one of the given topics.

C37

For more listening practice on the topic of (de)colonialisation, please refer to Copymaster 37.

Valeurs, traditions et religion

pages 86–87

Planner

Grammar focus

♦ Using *il faudrait*

Skills focus
♦ Talking about beliefs and values

Key language
♦ *l'individualisme, la liberté d'expression, la culture et le patrimoine, les valeurs, les traditions, le taux d'appartenance religieuse, musulman*

Resources
♦ Students' Book pages 86–87
♦ CD 3 track 4
♦ Grammar Workbook page 60
♦ Copymaster 40

1a Students listen to the seven interviews and match the values mentioned to the list.

Answers:
1 *f* 2 *a* 3 *d* 4 *b* 5 *c* 6 *d* 7 *e*

CD 3 track 4   **p. 86, activités 1a et 1b**

1 Valeurs et traditions? Bon, 1789, vous connaissez? Louis XVI et Marie-Antoinette ont perdu leur tête, et quelques années plus tard on a découvert la République. Et ça fait plus de 200 ans que ça dure. Les Français y sont très attachés, vous savez, surtout quand on voit ce qui se passe dans la multitude de régimes totalitaires qui existent toujours.

2 En ce qui concerne les valeurs et tout ça, moi, je vais vous citer l'expression "France, terre d'asile". Ça ne veut pas dire que l'intégration soit facile quand on vient d'ailleurs, mais je suis réfugiée et je crois que la France fait preuve d'une attitude humanitaire envers ceux qui viennent d'horizons défavorisés.

3 Les valeurs... les traditions... ça commence évidemment par «Liberté, égalité, fraternité». Bon, dans le contexte actuel, c'est vrai, l'égalité et la fraternité ne fonctionnent pas toujours très bien. Regardez un peu les chefs d'entreprise qui s'enrichissent de manière scandaleuse, mais en ce qui concerne la liberté, quand on est français, on aime dire ce qu'on veut. On n'est pas très doués pour garder le silence!

4 Ah, moi, je vais surtout vous parler des croyances. Vous savez ce qu'on a fêté en 2005, non? C'était le centenaire de la laïcité, quand la France a décidé de séparer l'Eglise de l'Etat. Moi, comme beaucoup de Français à mon avis, je tolère toutes les croyances, mais à condition que ça reste à un niveau personnel. Dans le domaine du privé, si vous voulez.

5 Oh là là, vous ne cherchez pas *la* bonne réponse, j'espère? Si vous posez la question à 100 Français, vous pouvez être sûr d'obtenir 100 réponses différentes! Ah ben, remarquez, en disant ça, je crois que je viens de répondre à votre question!

6 Quand on voit tous les mouvements contestataires et toutes les manifestations qui ont lieu chaque année, on voit à quel point les Français apprécient d'avoir le droit de s'exprimer. La censure n'est pas très appréciée, en France. On aime bien montrer ce qu'on pense. A mon avis, c'est une valeur à laquelle les Français sont très attachés.

7 Ça va peut-être vous paraître bizarre, mais moi je vais d'abord vous parler de notre belle langue française qui est d'une richesse remarquable et qui est vraiment une part importante de notre héritage culturel et de notre identité. Nous avons d'illustres écrivains depuis des siècles. Et, vous savez, je suis souvent fascinée quand j'entends des francophones qui utilisent notre langue avec une telle élégance et une telle précision.

1b Students listen to the interviews again and complete the sentences.

Possible answers:
1 *très attachés à la*
2 *est importante, même si l'intégration est*
3 *choisit de garder le silence*
4 *a séparé l'Eglise de*
5 *montre qu'une des valeurs importantes pour les Français est*
6 *montrent que la liberté d'expression reste*
7 *que la langue française est une part importante de*

2a Students read the first paragraph of the article on page 87 and note down the values mentioned.

Answers:
la famille, la patrie, le travail, l'honnêteté, le respect de l'autrui, la liberté/les libertés individuelles, le bien-être/confort matériel, la religion

2b Students look up four words in the first paragraph of the text to aid understanding.

2c Students reread the first paragraph of the article and choose the correct answer.

Answers:
1 *a* 2 *b* 3 *b* 4 *a*

2d Students reread the article and answer the questions in French.

Answers:
a *Trois quarts des Français appartiennent à une religion mais ne sont pas croyants.*
b *Le sexe, l'âge et les opinions politiques.*
c *Trois Français sur quatre se disent religieux, mais seulement 60% se disent croyants.*

d *Ils sont musulmans/de religion musulmane*

e *Le musulman typique est jeune/a moins de 34 ans, est de nationalité étrangère et a un travail de bas niveau à moins d'être chômeur.*

3 Students look at the poster and discuss the questions orally or in writing.

C40

For additional activities on the text, please refer to Copymaster 40.

Zoom examen

page 88

Planner

Grammar focus

♦ Revision of verb forms and tenses

Resources

♦ Students' Book page 88
♦ CD 3 track 5

Verb forms and tenses

This section focuses on revising the various verb forms and tenses.

1a Students read the text and write the correct form of the verb in brackets using the key for support.

Answers:

a *Connaissez*	**b** *permettent*
c *réunissent*	**d** *conciliaient*
e *se sont déroulés*	**f** *a été suivie*
g *ont été sélectionnées*	**h** *serait*
i *a été apprécié*	**j** *était*
k *s'est vu*	**l** *s'est retrouvé*
m *a confirmé*	**n** *a été battu*
o *se sont retrouvés*	**p** *citerons*
q *a été*	**r** *s'est vue*
s *se sont déroulées*	**t** *partageaient*
u *ont permis*	**v** *a reconnu*
w *remettant*	**x** *aient*
y *sera*	

1b Students listen and check their answers to activity 1a.

CD 3 track 5   **p. 88, activité 1b**

Les Jeux de la Francophonie

Connaissez-vous les Jeux de la Francophonie? Organisés tous les quatre ans, ils permettent à

---

environ 3000 jeunes de rivaliser dans un esprit de fête, d'échange et d'ouverture. A l'inverse des Jeux olympiques, ils réunissent à la fois des disciplines sportives et artistiques telles que la chanson, le conte et la sculpture, à la manière des Jeux de l'Antiquité qui conciliaient l'exercice du corps et de l'esprit. Le rôle joué par la langue française y est donc aussi important que les performances physiques.

Les Jeux 2005 se sont déroulés au Niger, où la cérémonie d'ouverture a été suivie avec enthousiasme par des milliers de spectateurs venus des quatre coins de la planète. Au total, 13 disciplines ont été sélectionnées pour cette 5ème édition, donc six sportives et sept culturelles.

Il serait trop ambitieux de vouloir répertorier ici tous les résultats, donc citons-en seulement quelques-uns parmi les plus populaires. La lutte traditionnelle, le sport le plus populaire au Niger, a été appréciée des spectateurs pour lesquels il était moins familier. Le Sénégal s'est vu à l'honneur en sports collectifs puisqu'il s'est retrouvé médaille d'or en football et médaille d'argent en basket. Le Maroc, quant à lui, a confirmé sa suprématie en athlétisme avec des victoires dames et hommes. En chanson, le Maroc a été battu de peu par la Belgique, tandis qu'en littérature les Libanais se sont retrouvés en première place devant la France. Nous citerons enfin la médaille d'or remportée par les éblouissants danseurs de Madagascar.

Le Liban a été ravi d'obtenir la première place au classement culturel. Pour le sport, c'est la France qui s'est vue en haut du podium, suivie du Maroc et de l'Egypte. Toutes les épreuves se sont déroulées à la satisfaction de tous. De plus, grâce à la langue que partageaient participants et spectateurs, ces jeux ont permis à beaucoup de repartir avec des contacts utiles pour l'avenir. Le Comité International des Jeux de la Francophonie a reconnu le franc succès de ces Jeux en remettant la médaille d'or de la réussite à l'équipe organisatrice. On souhaite que les futurs Jeux aient tout autant de succès, ce qui sera sûrement le cas.

1c Students read the completed text aloud a few times until they can use the correct verb form without looking at their notes.

Compétences

page 89

Planner

Resources

♦ Students' Book page 89
♦ Copymaster 38

Students are given tips on how best to write answers to questions in French.

1a Students reread the article about the European Union on page 85 and answer the questions.

Possible answers:

a *Le nombre de pays dans l'UE d'aujourd'hui n'est peut-être plus le même (que quand il a écrit l'article)./(Il avait peur) que le nombre de pays dans l'UE d'aujourd'hui ne soit plus exact.*

b *Ils voulaient assurer la paix.*

c *Cela signifie qu'on n'a pas raison/que c'est une mauvaise définition de l'UE, puisque les pays européens ne sont pas tous membres de l'UE.*

d *Cela signifie qu'ils refusent toujours de l'adopter.*

e *Parce qu'ils appréhendaient l'arrivée de nombreux chômeurs avec famille nombreuse venant d'Europe de l'Est.*

1b In pairs, students compare their answers to activity 1a. Together they try and improve their answers.

> **C38**
>
> For extended practice of answering questions in French, please refer to Copymaster 38.

Au choix

page 90

> **Planner**
>
> *Resources*
> ♦ Students' Book page 90
> ♦ CD 3 track 6

1 Students write a couple of sentences in response to the stimuli.

 2a Students listen to the report about France and the EU and answer the questions in English.

Answers:

a *10 new countries joined the EU*

b *impose employment restrictions on migration from other EU countries*

c *the fear of the possibility of sudden mass immigration that might result in higher unemployment and lower salaries*

d *(any two of:) People who work in research or are retired, students, self-employed*

e *computer engineers*

f *They stand little chance of being allowed to settle on French soil*

> **CD 3 track 6**   **p. 90, activités 2a et 2b**
>
> En 2004, 10 nouveaux pays ont intégré l'Union européenne, suivis peu après de la Bulgarie et de la Roumanie. En principe, l'UE garantit la libre

circulation des personnes. Toutefois, la France - et elle n'est pas la seule - a décidé pour quelques années au moins - d'imposer une période transitoire de restrictions à l'emploi pour les migrants venant d'autres pays de l'UE. Ces mesures restrictives ont été prises en 2004 pour répondre à la peur des Français devant la possibilité d'une immigration intense et soudaine qui pourrait conduire à une augmentation du chômage et à une baisse des salaires.

Les décisions prises en 2004 sont assez complexes, mais en voici quelques exemples. La France a décidé d'accueillir les étudiants et les retraités sans restrictions à condition qu'ils aient une assurance maladie et des ressources suffisantes. Il existe peu de restrictions pour les chercheurs et les travailleurs indépendants. Dans les secteurs qui manquent de main d'œuvre, des autorisations sont accordées sous certaines conditions. C'est le cas, par exemple, chez les ingénieurs informaticiens. D'autres secteurs accordent des autorisations temporaires qui peuvent aller de quelques mois dans le secteur agricole jusqu'à 18 mois chez les jeunes professionnels. Quant aux chômeurs, bien que les portes ne leur soient pas complètement fermées, ils ont peu de chances d'obtenir l'autorisation de s'installer sur le territoire français.

 2b Students listen to the report again and decide whether the statements are true, false or not mentioned.

Answers:

a *V*

b *V*

c *ND*

d *F*

e *V*

f *ND*

3 Students translate the article into English.

Possible answer:

European culture in danger

Europe is currently experiencing a period of globalisation which tends to standardise ideas and ways of life, especially under the influence of the American model. All those who are attached to their history, their traditions or their language feel anxiety and anger when faced with the threat which hangs over all that they are deeply attached to. France worries not only for economic reasons but also for reasons of culture and identity that its soil might be invaded by these American 'products'. It fears that its citizens might progressively adopt American ways of thinking and living.

4 Students talk to the class for two minutes about one aspect of decolonisation. They can choose from the topics given, or come up with their own.

Révisions Unités 7–8

pages 91–92

Planner

Resources

◆ Students' Book pages 91–92
◆ CD 3 track 7

---

1 Students read the article about the *Battle of Algiers* and choose the five correct statements.

Answers:

c, d, f, h, i

2 Students translate the fourth paragraph of the article.

Possible answer:

Thirty years later, The Battle of Algiers is seen in a different light. In 2003, a private screening of the film took place in the Pentagon, attended by generals and civilians. A ministry official explained that "the film gives an historic vision of the running of the French operations in Algeria." In fact, the American high command was attempting to study the mistakes made during the French occupation of Algeria in the hope of finding a way to end the crises caused by the presence of American troops in Irak.

3 Students listen to the interview about the future of francophonie and use some of the words in the box to complete the sentences.

Answers:

a *hausse*
b *Français*
c *passé*
d *langue*
e *disputes*
f *francophones*
g *études*
h *programmes*
i *séjour*
j *importance*
k *cultures*
l *francophonie*

CD 3 track 7   **p. 92, activité 3**

Journaliste : La francophonie suscite plus souvent le scepticisme que l'enthousiasme. Est-elle menacée?

Brigitte: La francophonie se porte bien et j'en ai assez des discours pessimistes. En dix ans, le nombre d'élèves de français dans le monde a augmenté de plus de 16 millions. Partout où je vais, on me demande plus d'écoles, plus de professeurs. La francophonie apparaît comme une force moderne et attractive.

Pierre: Cela est vrai, mais malheureusement les élites françaises dans notre pays n'ont pas conscience de l'Intérêt que représente la francophonie. Pour elles, c'est vieux, ringard et dépassé. Il y a là une responsabilité de l'Etat. Pourquoi n'a-t-on pas réussi à valoriser la francophonie dans notre pays? Notamment à cause de cette mauvaise conscience liée à la colonisation.

Journaliste : Quel est le rôle de la francophonie à l'heure actuelle?

B.: Avec ses 63 membres, l'Organisation internationale de la Francophonie devient de plus en plus une force politique. D'une mission culturelle et linguistique au départ, la francophonie a évolué vers une mission politique. Elle pèse sur les débats internationaux et sur les situations de crise.

P.: Demain, la francophonie pourrait jouer un rôle important dans la prévention des conflits, par exemple au sujet de la laïcité. Toutes les religions sont représentées au sein de l'OIF.

Journaliste : Comment mieux valoriser la francophonie en France?

P.: D'abord, il faut valoriser les bourses et les visas pour permettre aux jeunes de circuler, puisque, par définition, ils représentent l'avenir de la francophonie.

B.: Mais là, je crois qu'il faut garder un équilibre. Je tiens à rappeler qu'on nous accuse justement d'accueillir l'élite des pays du Sud et d'organiser une fuite des cerveaux. C'est une critique fréquente des états africains actuellement.

P.: Non, les états et les universités anglophones attirent beaucoup plus! Et il n'y a pas que l'Afrique dans la francophonie, il y a aussi l'Amérique latine, l'Asie, le Pacifique… Ce qui manque aujourd'hui, c'est une circulation des jeunes dans la francophonie.

B.: Je plaiderais plutôt pour une utilisation plus grande des nouvelles technologies afin de favoriser l'éducation à distance.

P.: Attention au mythe des nouvelles technologies, censées tout résoudre! Un jeune qui vient six mois ou un an en France, ou qui fait un cycle universitaire en passant par trois ou quatre universités à l'étranger, est en quelque sorte «inoculé»: il comprend les valeurs de la francophonie.

Journaliste : Quels pays peuvent faire avancer la francophonie demain?

B.: La priorité est de faire avancer la francophonie en Europe. Le danger, c'est que les nouveaux pays de l'Union européenne apprennent principalement l'anglais, qui deviendra en pratique la seule langue de travail de l'Union si on n'y prête pas attention. Le français et l'anglais doivent rester au quotidien les deux langues de travail dans l'Europe élargie.

P.: La francophonie doit accepter la diversité culturelle des nations qui la constituent et valoriser des traditions politiques non occidentales. L'entrée des pays d'Europe de l'Est, c'est important… Mais il faut aussi penser à l'Amérique latine, où il y a une vraie demande, et à l'Asie du Sud-Est, où la francophonie est trop peu présente. Sans oublier le Proche-Orient.

4 Students read the speech bubble and in pairs, they discuss it, each taking an opposing viewpoint. They can use the framework given for support.

5 Students write 250-300 words in response to a comment about how best to appreciate art.

6 Students translate the sentences into French.

Answers:

a *Bien que la France ait en général de bonnes relations avec ses anciennes colonies, il y a encore des problèmes à résoudre.*

b *Camus s'intéressait au théâtre depuis son adolescence.*

c *Beaucoup de gens trouvent que la lecture les aide à se détendre.*

d *Personne ne croit que les ordinateurs puissent jamais remplacer complètement les livres.*

Unité 9 Questions de politique

Unit objectives

By the end of this unit students will be able to:
♦ Talk about politics at a local level
♦ Discuss politics in France and in Europe
♦ Discuss the issues of war and terrorism

Grammar

By the end of this unit students will be able to:
♦ Recognise the imperfect subjunctive

Skills

By the end of this unit students will be able to:
♦ Consolidate the skills learnt during the course

page 93

1 Students match the slogans to the political issues.

Answers:
a *touche pas à mon pote!*
b *protégez-vous*
c *inactifs aujourd'hui, radioactifs demain*
d *disons non aux classes énormes*
e *non aux armes et aux conflits*
f *sauvons la planète!*
g *annulons leurs dettes*
h *un toit pour eux*

2 Students say which slogans they agree with.

3 Students add another slogan to the list.

La politique t'intéresse?

pages 94–95

Planner

Grammar focus
♦ The conditional

Skills focus
♦ Group work

Key language
♦ *les discours politiques, la politique, l'Assemblée nationale, la participation, la démocratie, faire entendre sa voix, les hommes politiques, le parlement français, les lois*

Resources

♦ Students' Book pages 94–95
♦ CD 3 track 8
♦ Grammar Workbook page 60

1a In pairs, students skim-read the four texts and write a title for each one. Students then compare their answers with the whole class.

1b Students reread the texts and choose the correct sentence.

Answers:
1 *b*   **2** *a*   **3** *b*   **4** *c*

1c Students translate the underlined sentences in the texts into English.

Answers:
1 *It is vital that a democracy is healthy.*
2 *It is a question of participation, of making your voice heard, of reflecting upon what is happening around you.*
3 *Politicians line their own pockets. That does not make you want to vote!*

2 Students choose the groups and associations which interest them from the list and compare them with a partner.

3a Students listen to the interview and complete the sentence in less than ten words.

Answer:
... le chômage, surtout chez les jeunes.

CD 3 track 8   **p. 95, activité 3a**

- Bonjour à tous. Je suis dans une des rues principales de Bruxelles, où la Marche des Jeunes va bientôt se mettre en route. À côté de moi, il y a Nicolas Fouget, un des organisateurs. Je viens de lui demander pourquoi les jeunes défilent aujourd'hui. Nicolas, expliquez-nous.
- Oui, bonjour. Il s'agit de la Marche des Jeunes pour l'Emploi. Saviez-vous que les bénéfices des 30 000 plus grandes entreprises de Belgique ont doublé ces deux dernières années, mais que les conditions de travail se sont dégradées? En plus, pour les jeunes, la possibilité de trouver du travail se réduit. Le nombre de chômeurs augmente sans cesse et les promesses du gouvernement de créer 200 000 emplois n'ont pas été tenues.
- Pourquoi est-ce que cela touche surtout les jeunes?

- Ben, nous sommes en première ligne parce que nous occupons souvent des emplois précaires et il est donc facile de nous licencier. Il est plus difficile de décrocher un emploi quand on est jeune, surtout quand on exige de l'expérience. Aujourd'hui, pratiquement un jeune sur cinq est au chômage. Voilà pourquoi on a lancé cette campagne dans les écoles et les entreprises.
- Merci, Nicolas, et je vous souhaite bonne chance pour la Marche des Jeunes.
- Merci, au revoir.

3b Students write a sentence to explain each number.

Answers:

a *Les 30 000 plus grandes entreprises belges ont doublé leurs bénéfices ces deux dernières années.*

b *Le gouvernement avait promis de créer 200 000 emplois, mais ne l'a pas fait.*

c *Environ un jeune sur cinq est au chômage.*

3c Students answer the question about the main reason for youth unemployment.

Answer:
Leur manque d'expérience.

4 Students read the article and translate the sentences into French.

Answers:

a *Les lycéens étaient contre l'idée de supprimer des milliers de postes d'enseignants.*

b *Pendant les sept journées d'action à Paris, les élèves et les professeurs ont manifesté ensemble.*

c *Durant cette période, des milliers de gens ont défilé dans la capitale.*

d *Les enseignants du primaire sont furieux parce que le gouvernement propose la fermeture de classes.*

e *Les élèves disent qu'ils sont en guerre contre le gouvernement parce que la raison déraille.*

5 Students work in groups, choosing an issue which is important to them, either from the list provided, or their own idea. They then plan an advertising campaign to promote their cause. There is a lot of creative scope in this activity. They may wish to record an interview onto cassette, give a speech, design a poster, compose a survey or write a letter for the editorial section of a newspaper.

En France et en Europe

pages 96–97

Planner

Grammar focus

♦ Use of conditional *(devrait)*

Skills focus

♦ Translation into French

Key language

♦ *l'Assemblée nationale, un député, les ministères, le Conseil des ministres, le Premier ministre, l'hôtel Matignon, les questions du mercredi, le Sénat, un projet de loi, un parti politique*

Resources

♦ Students' Book pages 96–97
♦ CD 3 tracks 9–10
♦ Grammar Workbook page 60
♦ Copymaster 42

1a Students listen to the recording and state which speaker is concerned with which topical issue listed in the activity.

Answers:

a *Nadia (5)*   **b** *Guy (2)*   **c** *Patrick (4)*
d *Julien (7)*   **e** *Nadine (1)*   **f** *Catherine (6)*
g *Mélanie (3)*

CD 3 track 9	page 96, activité 1a

1 Nadine, 18 ans, élève de Terminale A, Lycée Vaugelas.
Selon moi, le problème actuel le plus important est l'énorme différence entre les pays riches et les pays pauvres. Ce n'est pas en changeant simplement le nom de Tiers-Monde en 'pays en voie de développement' que la situation va s'améliorer. Il faut mener davantage d'actions concrètes sur le terrain et améliorer les conditions de vie grâce à la mise en place d'aménagements locaux et, enfin, éduquer les différentes populations.

2 Guy, étudiant en biologie, Université de Grenoble.
Nous faisons face aujourd'hui au danger nucléaire et c'est la terre entière qui est concernée. En tant que futur chercheur, j'aimerais que les gouvernements se regroupent pour débloquer des fonds, afin de financer de plus amples recherches sur les énergies nouvelles. Je pense à l'énergie solaire ou éolienne mais également à des projets plus méconnus comme le moteur Adams pour des véhicules capables de marcher uniquement grâce au phénomène de gravitation.

3 Mélanie, élève de Terminale B, Marseille.
J'habite à Marseille, l'une des villes où le racisme est de jour en jour plus virulent. Le nombre d'immigrés y est important et le Front

National, hélas, particulièrement actif! Les mentalités doivent changer, pour qu'on ne vive pas dans un climat de tension et de menace perpétuelles. Bien que notre peau soit différente, le même sang coule dans nos veines et nous sommes tous égaux.

4 Patrick, musicien, Toulouse.
Nous les jeunes, nous avons besoin de nous exprimer. Alors le gouvernement doit comprendre que si on veut écouter une musique qui est plus globale, commune à un public au delà des nations, c'est essentiel que nous ayons cette liberté sur les radios FM, et dans nos rassemblements, concerts, festivals ou autres. Je pense qu'interdire ces musiques ou que de faire une loi qui monopolise le temps d'écoute pour de la musique uniquement française, c'est vraiment la politique de l'autruche!

5 Nadia, élève de Première, Nantes.
J'ai dix-sept ans et je ne compte pas y trouver le partenaire idéal dès ma première relation amoureuse. Et je crois qu'il en est ainsi pour beaucoup de jeunes. C'est pourquoi avant de se stabiliser, on est appelé à vivre une période plus incertaine, où il est vital de se protéger du sida, pour soi et aussi pour les autres.

6 Catherine, élève de Seconde, Paris.
Tous les matins, lorsque je vais au lycée, je prends le métro et je traverse la place à Beaubourg. Systématiquement, je rencontre des SDF, assis sur des bouts de cartons ou enveloppés dans de vieilles couvertures, qui font la manche ou restent là, prostrés, par tous les temps, sous l'œil indifférent des touristes. Il est indigne de laisser son prochain dépérir à petit feu. Je trouve cette situation quotidienne intolérable.

7 Julien, étudiant en philo, Nantes.
Le nouveau danger qui nous menace, c'est la manipulation génétique. On voit, avec les OGM, que les Français ont vivement réagi et j'en suis très content. Par contre, il y a des scientifiques qui déclarent que les effets ne seront pas négatifs. A cause de leur profession, ces personnes doivent assumer leurs responsabilités parce que le public a tendance à écouter les 'représentants du progrès.' Et pourtant, on a déjà vu avec la division de l'atome que toute découverte scientifique n'est pas forcément positive. Allier une éthique humaine à toute notion de pouvoir est vital.

1b This activity is designed to familiarise students with the structure and vocabulary of government in France. Students match each speaker to the ministry most likely to deal with their concerns. The answers provided are not finite and the activity could be opened up into a class discussion.

Possible answers:

1 *Nadine – le secrétaire d'Etat à la Coopération*

2 *Guy – le ministre de l'Environnement*

3 *Mélanie – le ministre de l'Intérieur*

4 *Patrick – le ministre de la Culture et de la Communication*

5 *Nadia – le ministre de la Santé*

6 *Catherine – le ministre de l'Economie et des Finances*

7 *Julien – le ministre de l'Agriculture et de la Pêche*

2 In this activity, students are introduced to the French governmental system. Students then match the French to the corresponding English term from the box provided.

Answers:

a *the House of Commons*

b *an MP*

c *the government*

d *the cabinet*

e *the prime minister*

f *Downing Street*

g *Question Time*

h *the House of Lords*

i *a bill*

j *a political party*

 3a Students listen to the first section of the recording and construct ten sentences to detail the responsibilities of the French President. Key words are provided for each sentence.

Answers:

a *Il reçoit le Premier ministre*

b *Il donne des audiences*

c *Il lit des dossiers préparés par ses conseillers*

d *Il fait des voyages dans les départements*

e *Il choisit le Premier ministre*

f *Il préside le Conseil des ministres*

g *Il nomme les ambassadeurs*

h *Il signe des traités*

i *Il est le chef des armées*

j *Il peut consulter les citoyens par référendum*

CD 3 track 10   page 96, activités 3a, 3b et 3c

Première section
Comme vous savez, le président de la République est élu par tous les citoyens. Il siège au Palais de l'Elysée, où il reçoit le Premier ministre, donne des audiences et s'informe en lisant des dossiers préparés par ses conseillers. Il voyage dans les départements pour rencontrer les citoyens et il voyage aussi à l'étranger pour représenter la France. Le président choisit le Premier ministre,

préside le Conseil des ministres et peut dissoudre l'Assemblée nationale. Il nomme les ambassadeurs, signe des traités avec les autres pays et il est le chef des armées. Il peut consulter les citoyens par référendum, ou s'adresser directement à tous les Français, en enregistrant un message télévisé.

Deuxième section

Le gouvernement comprend le Premier ministre et plus de quarante ministres, tels que le ministre des Affaires étrangères, le ministre de l'Intérieur et le ministre de l'Economie. Le Premier ministre siège à l'Hôtel de Matignon où il reçoit ses ministres, les syndicats et les chefs d'entreprise. Chaque mercredi matin, tous les ministres se réunissent au Palais de l'Elysée autour du président de la République pour discuter et signer des projets de lois et nommer des hauts fonctionnaires.

Troisième section

Les députés sont nos représentants. Ils votent les lois à l'Assemblée nationale et contrôlent l'action du gouvernement. Elus pour 5 ans, ils sont chargés de représenter les électeurs de leur circonscription. Chaque député fait généralement partie d'un groupe politique qui se réunit et partage les mêmes idées. Non seulement l'Assemblée nationale, mais aussi le Sénat discute et vote les lois. Le Sénat comprend plus de 320 sénateurs. Si les deux ne sont pas d'accord il faut revoir les textes afin de trouver un compromis. Mais en cas de désaccord sur un texte de loi, ce sont les députés qui ont le dernier mot.

3b Students listen to section two of the recording and answer questions on the French government.

Answers:

a   *C'est le Premier ministre et plus de 40 ministres*

b   *le ministre de l'Intérieur, le ministre de l'Economie, le ministre des Affaires étrangères*

c   *Chaque mercredi matin*

d   *Ils discutent et signent des projets de lois et nomment des hauts fonctionnaires*

3c Students listen to the third section and write a summary in English of the procedure for voting in a new law. Key terms are provided.

Answers:

The Sénat as well as the Assemblée nationale discuss and vote the laws. If they do not agree, they must go over the texts again to find a compromise. If there is still disagreement, the MPs have the final say

4 This activity provides students with presentation practice, essential for the AQA oral examination. Students select an issue which they feel strongly about and prepare a two-minute speech to be presented to the class. They are required to state the

causes of the problem and try to suggest some solutions.

C42

For additional reading practice and background information on the political system of the French republic, please refer to Copymaster 42.

---

5 Students read the list and categorise the countries.

Answers:

a   *la Belgique, la France, l'Allemagne*

b   *la Grande-Bretagne, le Danemark, l'Irlande*

c   *la Pologne, la Hongrie, la Slovénie*

d   *la Turquie, la Croatie, la Macédoine*

e   *la Russie, la Suisse, la Norvège*

6a Students read texts A-C and select the best description.

Answers:

A*4* B*1* C*5*

6b Students reread text A and find the French expressions.

Answers:

a   *qui vise à*

b   *élu par*

c   *auxquels elle est confrontée*

d   *rendre plus efficace*

e   *un renforcement*

6c Students translate text B into English.

Possible answer:

27 countries and a single constitution? That's the madness proposed to us by the treaty of Lisbon, signed by all 27 member states of the European Union but not yet – thank God – ratified. Let's not forget that three countries – France, Holland and Ireland – have already said a strong "no" to this ridiculous idea in referendums. Is anyone listening to us? But no, they propose to abandon France's sovereignty and submit us to distant, little understood powers. If I don't like what French politicians do, I can say it when I vote. But if I am governed from Brussels or Strasbourg, who will listen to me?

6d Students reread text C and translate the sentences into French.

Answers:

a   *Je vois bien qu'il vaut mieux travailler avec d'autres pays.*

b   *Si la France fait partie de l'Europe, elle n'est pas seule contre tous les pays du monde.*

c   *Je voudrais faire entendre ma voix et ce sera plus facile si la France travaille avec l'UE.*

7 Students write 300 words about how best to have a voice in politics.

La guerre et le terrorisme

pages 98–99

Planner

Grammar focus

♦ Using the present, imperfect and perfect tense

Skills focus

♦ Writing an essay about a terrorist attack

Key language

♦ *tension, guerre civile, terrorisme, renforcer, renforts, victoire, l'envoi de troupes, attentat, assassinats, enlèvements, sabotages, la peur, victimes, terreur, action directe, l'opinion publique, la sécurité, la lutte anti-terroriste, le ministre de l'Intérieur*

Resources

♦ Students' Book pages 98–99
♦ CD 3 track 11
♦ Grammar Workbook page 56
♦ Copymasters 43 and 44

1a Students work in pairs to write a list of countries in the world where there is conflict. They are given some help to get started.

1b The pairs swap their list with other pairs and discuss.

2 Students read the article about the deployment of troops in Afghanistan and answer the questions.

Answers:

a *La présence militaire de la France en Afghanistan.*

b *Il veut qu'il y ait un avenir de paix pour les Afghans.*

c *Un retour des talibans et d'Al-Qaïda à Kaboul.*

d *1 500.*

e *Un millier, plus 100 à 200 hommes des forces spéciales.*

f *Parce qu'il s'agit de la lutte contre le terrorisme mondial.*

3 Students listen to the politics student talk about the deployment of French troops in Afghanistan and complete the sentences.

Possible answers:

a *... s'opposent à l'envoi de troupes supplémentaires en Afghanistan.*

b *... la guerre en Afghanistan.*

c *... garder sa liberté (et s'opposer aux guerres qu'elle trouve injustes).*

d *... ait besoin de renforts militaires.*

e *... votent des aides pour la reconstruction de l'Afghanistan.*

f *... la famine, la misère, la corruption et le trafic de drogue.*

CD 3 track 11   **p. 98, activité 3**

Je suis tout à fait contre la guerre en Afghanistan. En fait, la plupart des Français sont d'accord avec moi: deux Français sur trois s'opposent à l'envoi de troupes supplémentaires en Afghanistan, et 65% estiment que les Etats-Unis et leurs alliés ont tort de faire la guerre en Afghanistan. Alors, le Président ne donne pas d'importance à l'avis des Français. Son élection à la Présidence ne lui donne pas tous les droits! Je crois que la France ne devrait pas s'allier avec les Etats-Unis, mais plutôt garder sa liberté et s'opposer aux guerres qu'elle trouve injustes. Je ne crois pas que l'Afghanistan ait besoin de renforts militaires, mais plutôt d'une véritable solidarité internationale. Mieux vaut que la communauté internationale vote des aides pour la reconstruction dans ce pays où la situation empire et où famine, misère, corruption et trafic de drogue sont en augmentation. Puis, il y a la question d'argent. Faire la guerre est cher aussi, et on peut toujours faire autre chose avec tout cet argent. On trouve l'argent pour les préparatifs de guerre, mais en même temps on justifie des réductions drastiques des dépenses de l'état pour autre chose. Oui, vraiment, je suis pour la démilitarisation de l'Afghanistan.

---

4 Students prepare a presentation of 1-2 minutes on the war in Afghanistan, using the bullet points for guidance.

5 Students complete the text on terrorism by using the words provided.

Answers:

1 *actions*
2 *assassinats*
3 *population*
4 *terreur*
5 *victimes*
6 *publique*

6a Students read text A and fill in the grid.

Answers:

1 *Mauritanie*
2 *président Abdallahi*
3 *Michèle Alliot-Marie*
4 *la Libye, l'Algérie, la Tunisie, le Maroc*
5 *décembre dernier/Al-Qaïda Maghreb/4 touristes français*
6 *échanger des renseignements et des informations*

6b Students read text B and write a sentence to summarise each paragraph.

Possible answers:

1 *Deal with possible terrorist attacks.*
2 *Major training programmes are planned and officials are confident that the games will be safe.*
3 *Particular attention is being paid to the muslim Ouïgours region, where police arrested a terrorist group earlier in the year.*

7 Students research a terrorist attack and use the prompts to write approximately 250 words about it.

C43

For additional activities on democracy, please refer to Copymaster 43.

C44

For revision of grammar topics covered so far within the course, please refer to Copymaster 44.

Zoom examen

page 100

Planner

Grammar focus

♦ The imperfect subjunctive

Resources

♦ Students' Book page 100

The imperfect subjunctive

This sections focuses on how to recognise the imperfect subjunctive and its usage.

1 Students revise the subjunctive by completing the text.

Answers:

a b *(any of:) avant que, jusqu'à ce que, bien que, afin que, pour que, à condition que, pourvu que, à moins que, il faut que, il est possible que, il est important que*
c *present*
d *perfect*
e *recognise*

2 Students match the imperfect subjunctive to the corresponding infinitive.

Answers:

| **1** c | **2** j | **3** d | **4** f | **5** b | **6** h |
| **7** l | **8** i | **9** k | **10** g | **11** a | **12** e |

3a Students underline the imperfect subjunctive in each sentence and then translate the sentences into English.

Answers:

a *l'excussassiez – I would really like you to excuse him/her!*
b *devinssions – Wouldn't it be better if we became friends?*
c *eût – I suspect that she is wrong!*
d *donnassions – A whole month passed without us hearing from each other.*
e *vinssent – Jeanne assumed that the apparitions came from bad spirits.*

3b Students look at the picture and decide which sentence would fit best in the speech bubble.

Answer:

b *Ne vaudrait-il mieux que nous devinssions amis?*

4 Students read the sentences and state whether a present subjunctive or an indicative verb has been used. Students then translate the sentences into English.

Answers:

a *– present subjunctive: We had to know the truth.*
b *– present subjunctive: They didn't do anything because they were afraid that they might have had unknown difficulties.*
c *– indicative: They didn't believe that we were reasonable.*
d *– present subjunctive: I really doubted whether she could be right.*
e *– indicative: It is possible that this idea might have made him make a decision.*

Compétences

page 101

Planner

Resources

♦ Students' Book page 101

Revising translating and writing skills

Students are reminded how to translate accurately as well as how to make their writing more polished through use of complex sentences, conjunctions, etc.

1a Students consider which aspects are important when translating into English and into French and put them in the correct column.

Answers:
Into English: *2, 3*
Into French: *1, 5, 6*
Both: *4, 7, 8*

1b Students translate the sentences into English.

Answers:

a *The number of unemployed keeps increasing and the government's promises to create 200,000 jobs have not been kept.*

b *It is more difficult to get a job when you are young, especially when they ask for experience.*

c *Young people often have insecure jobs and so it is easy to lay them off.*

1c Students translate the sentences into French.

Answers:

a *On nous dit que le Traité de Lisbonne rendra l'Union Européenne plus démocratique et plus transparente.*

b *27 états membres ont signé le traité mais dans les pays où on a eu un référendum on l'a rejeté.*

c *La France devrait-elle être gouvernée par des politiques d'un pays étranger?*

d *Je veux bien que la France appartienne à l'Union européenne, parce que cela veut dire que nous pouvons travailler ensemble avec tous nos voisins.*

2a Students look at the list of conjunctions and write a sentence for each of the five conjunctions that they use the least.

2b Students look up the meanings of any conjunctions that they are unsure of and add them to their vocabulary list.

2c Students choose three subjunctive phrases from the list that they use the least and write a sentence for each one.

2d Students look up the meanings of any conjunctions that they are unsure of and add them to their vocabulary list.

2e Students copy and complete the sentences in their own words.

Au choix

page 102

Planner

Resources

♦ Students' Book page 102
♦ CD 3 track 12
♦ Copymaster 45

S **1a** Students listen to the report and match the sentences.

Answers:
1 *c* **2** *d* **3** *a* **4** *f* **5** *b* **6** *e*

CD 3 track 12   **page 102 activités 1a et 1b**

L'aide humanitaire qui s'est organisée devant la détresse des milliers de réfugiés kosovars reste un bon exemple d'organisation efficace de ce genre.

L'aide était difficile à coordonner dans les premières semaines, mais après quelque temps tout s'est déroulé de façon efficace, grâce aux efforts du Haut Commissariat aux réfugiés, un organisme des Nations unies, qui assure une aide humanitaire aux réfugiés dans le monde entier.

Et ce sont les pays du monde entier qui sont mobilisés. Les Russes, les Américains, les Allemands, les Grecs, les Suisses, les Israéliens, les Egyptiens, les Pakistanais … tous ont joué leur rôle. Il fallait soigner les plus faibles et les blessés, installer des points d'eau et des toilettes, distribuer des couvertures, des lits de camp, des vêtements.

En France aussi, la population a démontré un réel sens de la solidarité. Médecins du Monde et Médecins sans Frontières étaient inondés d'appels et le Fret Aquitaine, premier bateau français à lever l'ancre pour une mission humanitaire, a livré a Dures en Albanie plus de 2500 tonnes de colis humanitaires collectés par la Croix-Rouge et la Poste dans toute la France.

Mais il y avait aussi un point noir: la mafia locale. L'afflux de milliers de tonnes d'aide représentait pour les clans mafieux d'Albanie une aubaine. Ils ont detourné des centaines de tonnes de nourriture et d'équipements. Des cartons entiers de lait pour bébé ou de pâtes étaient ensuite revendus au marché noir.

S **1b** Students listen to the recording again and summarise the text.

Possible answer:

Les milliers de réfugiés kosovars en détresse ont reçu de l'aide humanitaire. C'est le Haut Commissariat aux réfugiés, organisme qui s'occupe des réfugiés dans le monde entier, qui a assuré la coordination efficace de cette aide. Et tous les pays du monde ont aidé, y compris la France. Malheureusement les clans mafieux d'Albanie, qui ont voulu profiter de ces milliers de tonnes d'aide, ont rendu cette mission humanitaire plus difficile.

2 In pairs, students discuss sentences a-f. Partner A agrees with the opinions expressed and Partner B disagrees.

3a Students read the five definitions of democracy and translate them into English.

Answers:

Michel: *Governing the people by the people.*

Regia: *It is a system of government where the individual has the right to participate and to form an opposition.*

Claudie: *It is a society where everyone has the right to vote.*

Jean-Pierre: *In a democracy, sovereignty is exercised by representatives who are voted for by the people.*

Celine: *Everyone has the right to express their opinion, but as it is impossible to bring all the citizens of a country together to discuss and organise communal life, citizens should choose representatives, our members of parliament.*

3b Students write their own definition of democracy in French.

C45

For more speaking, listening, reading and writing activities relating to Europe, please refer to Copymaster 45.

Révision Unité 9

pages 103–104

On y voit des défacements de sites Web et la diffusion de virus informatiques.

- Bon, merci Monsieur.

Planner

Resources

♦ Students' Book pages 103–104
♦ CD 3 track 13

---

1 Students read the document from the Green Party and prepare to discuss the questions with a partner or assistant.

2 Students listen to the conversation between a student and a teacher on the subject of cyber terrorism and answer the questions.

Answers:

a *Il s'agit des personnes qui se servent de l'Internet à des fins terroristes.*

b *Le déplacement d'une statue.*

c *D'avoir provoqué un déni de service des principaux sites Web de l'administration estonienne.*

d *Ils ont tout nié.*

e *On déface les sites Web et on diffuse des virus informatiques.*

CD 3 track 13 p. 103, activité 2

- Excusez-moi, Monsieur, je viens de lire le terme "cyberterrorisme" dans un article. C'est quoi, le cyberterrorisme?

- Ça peut signifier diverses choses. Il s'agit des personnes qui se servent de l'Internet à des fins terroristes. Par exemple, il y a eu une cyberattaque en avril 2007 en Estonie. Le déplacement d'une statue dans la capitale, Tallinn, a provoqué une émeute d'un millier de jeunes issus de la minorité russophone. A la suite de cette émeute, on a vu un déni de service des principaux sites web de l'administration estonienne, par exemple des banques et des journaux. On croyait que les responsables étaient des pirates au service du gouvernement russe.

- Et c'était vraiment le cas?

- Alors là, personne n'est sûr. Moscou a formellement démenti toute implication du gouvernement russe ou du service secret russe, mais...

- Il y a d'autres exemples?

- Oui, c'est sûr. Par exemple, le conflit entre l'Inde et le Pakistan se reporte régulièrement sur Internet.

---

3 Students read the web page and explain the roles of the various European institutions.

Answers:

a *Il fixe les grandes orientations et donne l'impulsion politique.*

b *Il décide de l'adoption des lois européennes – soit seul, soit en coopération avec le Parlement ou soit en codécision avec le Parlement européen.*

c *Elle veille à la bonne exécution des lois européennes et gère et met en œuvre les programmes.*

d *Il donne son avis sur les propositions de la Commission européenne ou codécide suivant les sujets.*

4 Students work in groups to launch a "Youth Party". They decide which of the tasks listed they want to carry out.

Stretch and challenge

1 Modal verbs: *devoir, pouvoir, savoir, vouloir, falloir (il faut), valoir (il vaut mieux)*

Page 105

1 Students translate the text into English.

Possible answer:
We know that air pollution in our cities can cause cancers and cardiovascular diseases, but nobody wants to take the necessary steps to combat this problem. We must not encourage the use of cars in towns any longer; it is better to favour public transport ...

2 Students complete the sentences using a modal verb in the present tense.

Possible answers:
a *doit/peut* **b** *peut, vaut mieux* **c** *doit, veulent*

3 Students translate the sentences into French.

Possible answers:
a *Nous devons aider ceux qui veulent laisser la voiture à la maison.*
b *Les gaz d'échappement des voitures peuvent être nocifs à la santé publique.*
c *Nous ne pouvons pas choisir l'air que nous respirons.*

4 Students translate the three texts into English.

Possible answers:
I would say that everyone would like to protect the planet, but the problem is that we have to change habits. I know that you should take the train rather than the plane, but it's not easy. Last summer, I would have liked to have gone on holiday by train, but it would have been a lot more expensive.

I'm not able to give a categorical answer to this question. We could put solar panels onto roofs, build wind farms, encourage the use of biofuels. But why would we want to develop new energy sources? It would be better to reduce our consumption.

We could say that global warming is the responsibility of scientists and politicians. During the nineties, the government could have stopped the building of new motorways. More recently, it should have limited the growth in air traffic.

5 Students rewrite the sentences to include a modal verb in the conditional or conditional perfect.

Answers:
a *On pourrait / devrait consommer moins d'énergie.*
b *Nous devrions / aurions dû nous intéresser plus à l'environnement.*
c *Je pourrais refuser d'utiliser les sacs en plastique.*
d *Les supermarchés devraient / pourraient / auraient pu / auraient dû réduire les emballages.*
e *Les centrales nucléaires pourraient / auraient pu avoir un impact sur l'environnement.*

6 Students translate the sentences into French.

Answers:
a *Je n'aurais jamais voulu conduire une voiture rapide.*
b *On aurait pu éviter la crise énergétique actuelle.*
c *Les biocarburants devraient réduire la pollution atmosphérique, mais ils pourraient causer d'autres problèmes.*

7 Students translate the sentences into French.

Answers:
a *Je n'aurais pas pu aller à l'école à pied, même si j'avais voulu le faire.*
b *A l'avenir, nous devrons tous réduire notre consommation d'énergie; nous ne pourrons plus gaspiller les ressources naturelles du monde.*
c *Il y a cent ans, personne ne savait que la pollution pourrait avoir des conséquences graves pour l'environnement.*
d *Tous les automobilistes savent depuis plusieurs années qu'il vaut mieux utiliser les transports en commun.*

2 Verb constructions: *en* + present participle, *apres avoir / être* + past participle, *avant de* + infinitive

Page 106

1 Students translate the text into English.

Possible answer:
Every day we could all contribute to the protection of our environment by doing the following simple measures.
Avoiding wasting natural resources by favouring products with recyclable packaging and sorting rubbish.
Saving energy by avoiding leaving appliances on standby and by systematically turning off the lights in rooms as you leave them.
When purchasing your next car, choose one by thinking about the environment. Because the bigger the car, the higher the fuel consumption.
Opt for solar energy by installing solar panels to the roof of your home. These will capture the sun's light and convert it into energy.
Understand that by reducing your consumption of meat, you will contribute to the reduction of greenhouse gases resulting from the rearing of cattle and to a better distribution of grain production.

2 Students complete the sentences using *en* + the present participle of a verb from the box.

Answers:
a *en prenant* **b** *en s'achetant, en refusant* **c** *en faisant* **d** *en nous déplaçant*

3 Students match the two halves of the sentences and translate them into English.

Answers:
1 *c – One should have thought about the ecological consequences before building so many motorways.*
2 *b – Everyone could sort their rubbish before putting it in the bin.*
3 *a – One should consider the impact of wind parks on the environment before building too many.*
4 *d - We should all calculate our carbon footprint before going on holiday.*

4 Students complete the sentences with the past infinitive of an appropriate verb from the box.

Answers:
a *avoir lu* **b** *avoir fait* **c** *être arrivés* **d** *avoir mis*

5 Students translate the sentences into French.

Answers:
a *Beaucoup d'étudiants auraient voulu travailler comme bénévoles pendant un an avant d'aller à l'université.*
b *Après avoir vu les images des forêts tropicales, chacun a compris qu'il fallait agir pour les protéger.*
c *Dans un monde idéal, nous économiserions tous l'énergie en nous déplaçant moins et en recyclant davantage.*
d *Avant de partir en vacances, on devrait se demander s'il est vraiment nécessaire de prendre l'avion.*
e *En choisissant des produits recyclés, chaque consommateur peut éviter de gaspiller les ressources naturelles.*

3 Using different time frames and verb tenses

Page 107

1 Students read the sentences and list the expressions of time used.

Answers:
a *au 19ème siècle*
b *en 1931/avant la deuxième guerre mondiale*
c *pendant les années 60*
d *à partir de 1974*
e *il y a plus de vingt ans*

2 Students translate the sentences into English.

Possible answers:
a *The first foreign workers came to France in the 19th century.*
b *In 1931, before the Second World War, France had already welcomed millions of immigrants.*
c *During the Sixties, French businesses recruited labour from abroad.*
d *From 1974, the government wanted to limit immigration.*
e *More than 20 years ago, the French became aware of racial tensions.*

3 Students complete each statement in the present or past tense with an appropriate example in the future or conditional.

Answers:
1 *b* **2** *a* **3** *d* **4** *c*

4 Students study the text and find examples of different verb tenses.

Answers:

a *construit, combattu, attirés*

b *devrait*

c *sera*

5 Students answer the questions in French, either orally or in writing.

Answers:

a *Il trouve que c'est une question complexe. Le gouvernement essaie de dresser une liste de critères pour identifier les caractéristiques des Français, mais il trouve cela trop simplifié. Il faut étudier l'histoire de l'immigration en France pour bien comprendre et pour développer la politique pour l'avenir.*

b *Les immigrés européens, les Italiens, les Espagnols et les Portugais et aussi les Africains des anciennes colonies de l'Algérie, du Maroc et du Sénégal ont travaillé comme ouvriers, construisant des routes, des ports et des bâtiments. Ils étaient soldats dans l'armée française pendant les deux guerres mondiales. Troisièmement, les artistes comme Picasso et Chagall ont enrichi la vie culturelle française.*

c *En 2002, le gouvernement a décidé de créer la cité de l'immigration, pour combattre les préjugés racistes en expliquant l'histoire de l'immigration et la façon dont les immigrés avaient contribué à la société française. Cela faisait partie d'une politique antiraciste. Par contre, le gouvernement actuel vise à limiter des droits des étrangers et veut changer la loi sur le droit d'asile.*

6 Students translate the second paragraph of the article into English.

Possible answer:

Whilst the debates about immigration rage, a new museum reminds us that these are no arbitrary questions. The National Project for the History of Immigration shows the path of Italian, Spanish and Portuguese workers; the paths of workers from former colonies: Algerians, Moroccans or Senegalese. It reminds us that these men built the roads, the ports and the districts in our cities and towns; they fought in the French army during the two World Wars. Not forgetting Picasso or Chagall, these immigrants, these exiles who were attracted by the reputation and freedom of Paris.

7 Students translate the sentences into French.

Answers:

a *De nos jours, nous vivons dans une société multiculturelle, mais il y a cinquante ans, les choses étaient très différentes.*

b *Depuis plus de trente ans, les campagnes antiracistes essayent de changer l'opinion publique, mais jusqu'à présent elles ont eu peu de succès.*

c *En informant les jeunes sur la contribution faite par les immigrés à la société française, le musée leur permettra de comprendre leur propre identité culturelle.*

d *A la fin du 20ème siècle, la plupart des Français voulaient créer une société plus tolérante, où chacun respecterait les cultures et les valeurs des autres.*

4 The subjunctive (1)

Page 108

1 Students study the text and note the uses of the subjunctive. Students translate the subjunctive clauses into English.

Answers:

à moins qu'on ne quitte pas son hôtel de luxe – as long as one doesn't leave their luxury hotel

pourvu qu'ils ne sachent pas ce qui se passe a quelques mètres des grands hôtels – provided that they don't know what goes on a few metres away from the large hotels

Quels que soient les avantages de l'île – whatever the island's advantages

bien que la situation dans les hôtels semble paradisiaque – although the situation in the hotels seems paradisiacal

Quoique le travail des enfants soit illégal – although child labour is illegal

pour que l'on puisse trouver le moyen d'améliorer la situation des droits humains dans ce pays – in order that one can find a way of improving the state of human rights in this country

pour que la France prenne ce problème au sérieux – in order that France takes this problem seriously

jusqu'à ce que les familles propriétaires de plantations cessent d'exploiter leur main d'œuvre – until the plantation-owning families stop exploiting their manual labour

sans que cette subvention soit assortie d'obligations – without this grant being accompanied with obligations

pour que cette situation tragique change – in order that this tragic situation changes

2 Using the article as a model, students translate the phrases into French.

Answers:

a *à moins qu'on ne sache pas la vérité*

b *quelles que soient les raisons*

c *bien que tout le monde sache les difficultés*

d *jusqu'à ce que le problème soit résolu*

e *pourvu qu'il n'y ait pas d'exploitation*

3 Students complete the sentences according to the ideas expressed in the text.

Possible answers:

a *les touristes sachent que les conditions de vie sont déplorables.*

b *le grand public sache la vérité.*

c *elle lui donne une subvention de 194 millions d'euros.*

4 Student rewrite the sentences to include a subjunctive clause.

Possible answers:

a *Bien que le monde n'ait jamais été aussi riche, plus d'un milliard de personnes souffrent d'extrême pauvreté.*

b *Quoique de 1960 à 1980, les pays d'Afrique aient enregistré des progrès sensibles en matière de développement économique et social, ces progrès se sont ralentis.*

c *Globalement 100 millions d'enfants continueront de vivre dans les rues jusqu'à ce que les pays riches prennent ce problème au sérieux.*

5 Students translate the sentences into French.

Possible answers:

a *Quelles que soient les difficultés, nous devons faire plus d'efforts pour aider les pays en développement.*

b *A moins que nous ne puissions changer notre mode de vie, la moitié de l'humanité continuera de vivre dans la pauvreté.*

c *On envisage de construire de nouveaux puits dans autant de villages possibles, afin que tout le monde puisse bénéficier d'eau propre.*

d *Les pays riches pourraient subventionner le développement durable dans les pays pauvres, jusqu'à ce que leurs économies soient plus fortes.*

e *Bien que les conditions de vie se soient améliorées récemment, elles restent toujours extrêmement difficiles.*

5 Adjectives and adverbs

Page 109

1 Students list the phrases containing adjectives in the text.

Answers:

plusieurs sources, les quelque 200 prisons françaises, deux tiers

2 Students translate the text into English.

Possible answer:
Packed French prisons

Where will it all end? Friday, several union sources claimed that the number of detainees in French prisons will exceed 64,000 in July. If this figure hasn't been officially confirmed, it is completely plausible as up to 1st June the 200 French prisons held 63,838 detainees. The lack of pardons for the 14th July will also significantly add to this figure. In total, approximately two-thirds of penitentiary establishments suffer from overcrowding.

3 Students choose an adjective from the box to describe each noun and add appropriate agreements.

Possible answers:

a *actuelle* **b** *communautaire* **c** *mineurs* **d** *privés* **e** *appropriée*

4 Students translate the sentences into English.

Answers:

a *La tendance actuelle est de mettre en prison tous ceux qui commettent un crime.*

b *Le président vient de confirmer officiellement la création d'établissements privés.*

c *Le service communautaire peut être une façon appropriée de punir les crimes mineurs.*

d *Construire de nouvelles prisons n'est pas une réponse appropriée aux cellules bondées.*

5 Students study the sentences and identify the adverbs.

Answers:

A *sévèrement;*

B *actuellement;*

C *principalement;*

D *extrêmement*

6 Students find the phrases which translate the English adverbs "surprisingly" and "angrily".

Answers:
surprenante, fâché

7 Students suggest an adverb in English to translate each of the French phrases.

Answers:
a *charming* **b** *happy* **c** *intelligently*

8 Students translate the sentences into English.

Possible answers:
A *Although the problem is proving more and more complicated nobody doubts that violent crimes must be severely punished.*
B *Unfortunately at the present time we do not foresee any significant drop in crime and violence.*
C *Comparing our present situation with that of ten years ago, it cannot be denied that the reforms have been an unqualified success, mainly thanks to some great visionary figures.*
D *The justice minister reacted surprisingly, replying angrily that the consequences of such a measure would be extremely serious.*

9 Students translate the sentences into French.

Answers:
a *La police a été profondément choquée par un sondage récent, qui indiquait que la plupart des citoyens avaient constamment peur d'être victimes d'un crime violent.*
b *Personne ne peut nier que la situation actuelle menace la stabilité de notre société d'une façon inattendue.*
c *Il devient absolument essentiel de trouver une solution au problème apparemment perpétuel de la surpopulation des prisons avant qu'il ne soit trop tard.*
d *On sait qu'il faut aider les jeunes délinquants à bien s'intégrer à la société, mais malheureusement le chômage fait toujours partie de la vie quotidienne dans tous les pays industriels.*

6 The subjunctive (2)

Page 110

1 Students study the sentences and note the verbs followed by the subjunctive.

Answers:
A *craint* **B** *veulent* **C** *(il) est (peu probable)* **D** *(il) vaut (mieux)* **E** *(il) faut* **F** *(il se) peut*

2 Students translate the sentences into English.

Possible answers:
A *The police is worried that « DNA proof » might not be infallible.*
B *Some people would like each new immigrant to undergo DNA testing.*
C *It is hardly likely that we will allow scientists to create embryonic cells.*
D *It would be best if the consumer didn't choose genetically modified foods.*
E *Everyone needs to understand the benefits that we could obtain from advances in genetics.*
F *It could be that Friends of the Earth are right.*

3 Students complete the sentences using a suitable verb in the subjunctive.

4 Students study the sentences A-F and note the verbs followed by the subjunctive.

Answers:
A *craignons* **B** *trouve* **C** *regrette* **D** *s'étonne* **E** *ont (peur)* **F** *pense*

5 Students translate the sentences into English.

Possible answers:
A *We are worried that scientific advances might have unexpected consequences.*
B *I find it shocking that Aids caused more than two million deaths in a single year.*
C *I deplore the fact that no Policy responds to the numerous ethical questions raised by cloning.*
D *We are surprised that this is possible.*
E *Many French people are worried that genetic engineering might go too far.*
F *I don't think that this is a solution.*

6 Students write a sentence expressing an emotion. They start with one of the verbs given, or another verb followed by the subjunctive.

7 Students translate the sentences into French.

Answers:
a *Il vaudrait mieux que le gouvernement réfléchisse et qu'il lise tous les rapports officiels avant de prendre une décision.*
b *Nous regrettons tous que les chercheurs n'aient pas encore réussi à trouver un remède contre le sida.*
c *Beaucoup de consommateurs européens ont peur que les aliments génétiquement modifiés puissent nuire à leur santé, mais je ne pense pas que ce soit le cas.*
d *Il faut que notre société se décide si elle veut que chacun subisse des tests ADN.*

7 The conditional

Page 111

1 Students translate the sentences into English.

Possible answers:
If François Truffaut hadn't seen Hitchcock's films, he might not have become a film director.
If Berthe Morisot had lived today, she would have had fewer problems getting herself accepted as a painter.

2 Students write conditional sentences using the phrases for support.

Answers:
a *Si Claude Monet ne s'était pas s'installé à Giverny en 1883, il n'aura pas eu la possibilité de peindre les nymphéas.*
b *Si François Truffaut réalisait des films aujourd'hui, il traiterait des sujets différents.*
c *Si Albert Camus n'avait pas souffert de la tuberculose, il serait devenu professeur de philosophie.*

3 Students translate the sentences into English.

Possible answers:
The reader asks himself what would have happened if they had decided to go home earlier.
If Rieux hadn't have wanted to fight the Plague, he would have been able to leave Oran before the town was sealed off.

4 Students complete the sentences using made up endings.

5 Students translate the sentences into French.

Answers:
a *S'il n'était pas allé à Paris, il ne l'aurait jamais rencontrée.*
b *Elle n'aurait pas honte de sa vie passée si elle pouvait admettre ses erreurs de manière ouverte.*

6 Students translate the text into English.

Possible answer:
Future projects
In an interview in 2007, Yasmina Reza revealed that she would follow Nicolas Sarkozy during his presidential campaign and that afterwards she'd publish a book about it. She declared however, that she would never write his personal autobiography and that she would be shocked by the idea that anyone could publish her biography without her permission.

7 Students rewrite the sentences in reported speech.

Answers:
a *François Truffaut a insisté qu'il ne partirait pas en retraite et qu'il continuerait à tourner des films jusqu'à sa mort.*
b *A l'époque, les critiques les plus influents ont dit que les peintres impressionnistes n'auraient jamais de succès.*

8 Students translate the sentences into English.

Possible answers:
I would describe this person as being a realist rather than a monster.
You could say that this novel deals with an unoriginal subject.

9 Students translate the sentences into French.

Answers:
a *Claude Monet s'étonnerait de savoir que ses peintures sont toujours populaires aujourd'hui.*
b *Le réalisateur a expliqué qu'il ne pourrait pas filmer et qu'il devrait abandonner le projet si les problèmes financiers n'étaient pas résolus.*
c *On pourrait dire que l'impressionnisme a marqué le début de l'art moderne.*
d *Moi personnellement, je décrirais Camus comme un philosophe plutôt qu'un écrivain, mais je sais que beaucoup de lecteurs diraient le contraire.*
e *Les spectateurs se demandent ce qu'ils feraient dans une telle situation et s'ils réagiraient de la même manière.*

8 Verbs followed by *à* and *de*

Page 112

1 Students identify the three statements which are not true according to the text.

Answers:
c, f, i

2 Students study the sentences again and note the verbs followed by *à* or *de* and an infinitive.

Answers:
a *permettre à* **b** *décidé de* **c** *refusé de* **d** *hésiter à*
e *essayé de* **f** *oublient de* **g** *hésite à* **h** *habitués à*
i *découragé de* **j** *empêcherde*

3 Students identify the five verbs followed by *à* or *de* and an infinitive in the text.

Answers:
(any five of:) permettre à, hésiter à, habituer à,
décourager à
décider de, refuser de, essayer de, oublier de,
empêcher de

4 Students translate the second paragraph of the text
into English.

Possible answer:
*In Perpignan, the Centre of France in Algeria is
getting ready to open its doors. Installed in the
Sainte-claire convent and converted to a prison in
the 18th century, the Centre has started to receive
documents and objects collected by the perpignan
branch of the Algerian Circle. « Ever since the
project was launched, we have been receiving
donations of pieces from French-Algerian families
throughout France », says a delighted Jean-Marc
Pujol. An Algerian expatriate himself, he is quick to
explain that in Perpignan it's only a matter of
building a centre in order to preserve the memory of
the French-Algerians.*

5 Students suggest ways to resolve the controversy
featured in the article by completing the sentences.

9 The passive voice

Page 113

1 Students read the article and answer the questions
in French, using a verb in the passive.

Answers:
a Les gens sont forcés de quitter leurs foyers.
b Les données n'avaient pas été publiées.
*c Les régions les plus pauvres seront affectées, parce
que les migrations s'y feront de plus en plus
fréquemment.*
*d Ils posent un problème parce qu'ils ne sont pas
considérés comme des migrations par le droit
international.*
*e Ils seront obligés d'accueillir un nombre croissant
d'immigrés et de réfugiés.*

2 Students suggest an English passive translation for
the verbs in bold in the text.

Answers:
*it is estimated that ..; it is feared that ..; it is
anticipated that ..; it is to be expected that ...*

3 Students translate the second and third paragraphs
of the article into English.

Possible answer:
*It is estimated that 163 million people have already
been forced to leave their homes due to conflicts,
natural catastrophes and large development
projects, such as mines or barrages. In the future, we
are concerned that these factors will be exacerbated
as a result of global warming.*
*Citing not yet published figures, the report highlights
that between now and 2080, up to three billion
people will be lacking water and more than 500
million could be affected by famine. It is possible
that several million people will be affected by the
increase in the level of the oceans. We estimate
therefore that migrations will become more and
more frequent, and will inevitably lead to new
conflicts in the poorest regions of the world where
resources are the most scarce.*

4 Students find examples of different passive forms
in the text:

Answers:
a ont déjà été forcées
b seront concernés, soient affectées
c ne soient exacerbés
d pourraient être touchées
e reste ignorée

5 Students find the grammatical elements in the text:

Answers:
a citant, croissant
*b on craint que, il se peut que, il faut s'attendre à ce
que*
*c de plus en plus fréquemment, inévitablement,
particulièrement concernés, largement ignorée*

6 Students translate the sentences into French.

Answers:
*a On estime que nous serons tous affectés par les
conséquences du réchauffement climatique.*
*b A l'heure actuelle, la plupart des scientifiques
pensent que les catastrophes naturelles sont
influencées par les changements climatiques.*
*c On a déjà proposé plusieurs stratégies qui
pourraient être mises en place d'ici 2020.*
*d On craint que les migrations forcées puissent
mener à l'instabilité et à la guerre civile dans
certains pays.*
*e Si la consommation globale des ressources
naturelles pouvait être réduite, on pourrait éviter
une crise énergétique à l'avenir.*
*f Si le barrage n'avait pas été construit, les villages
n'auraient pas été inondés et les habitants n'auraient
pas été forcés de quitter leurs foyers.*

Essay-writing skills

Essay-writing skills: revising and checking your essay

Page 120

1 Students choose three verbs from the box to replace each common verb.

Answers:

a *affirmer, constater, déclarer*
b *être d'avis que, considérer, estimer*
c *tenter de, chercher à, tâcher de*
d *être obligé de, être contraint de, être forcé de*
e *terminer, achever, mettre fin à*
f *illustrer, faire voir, indiquer*
g *offrir, fournir, presenter*

2 Students copy the list of nouns, write their English meaning and whether they are followed by a singular or a plural verb.

Answers:

tout le monde – everyone, singular
tous les Européens – all Europeans, plural
la plupart des jeunes – most people, plural
ceux qui sont touchés par ce problème – those, plural
chacun – each (one), plural
chaque individu – each individual, singular
le consommateur typique – the typical consumer, singular
beaucoup de Français – a lot of the French, plural
trop d'adolescents – too many teenagers, plural
la majorité des citoyens – the majority of citizens, singular
le lecteur – the reader, singular
le spectateur – the spectator, singular
l'auditeur – the listener, singular
le grand public – the (general) public, singular
on - one, singular
nous – we, plural

3 Students improve the sentences using the structures in brackets.

Answers:

a *Nous pouvons faire des progrès dans ce domaine en montant une campagne publicitaire.*
b *Ces solutions coûtent cher bien qu'elles soient nécessaires.*
c *Il est évident que nous devons faire un effort.*

4 Students rewrite the sentences from activity 3 using a different structure to improve each one.

5 Students complete the sentences with the correct form of the verb in brackets.

Answers:

a *Ceci nous paraît évident!*
b *Nous devrions tous faire un plus grand effort.*
c *Il y a vingt ans, ce problème n'existait pas.*

6 Students complete the sentences using the correct forms of the adjectives and adding agreement to the past participles as necessary.

Answers:

a *Les spécialistes internationaux ont pris plusieurs décisions difficiles.*
b *Le Parlement européen a voté de nouveaux lois pour combattre les menaces actuelles.*
c *Toute la famille s'est mise à recycler les déchets ménagers.*

7 Students translate the sentences into French.

Answers:

a *Le président a été surpris par l'arrivée inattendue de sa famille.*
b *Les évènements en banlieue ont choqué tout le pays.*
c *Beaucoup de mères préféreraient travailler à mi-temps.*